8:96

aschenbücher
Band 169

2u
IV

Michel-Aimé Baudouy

# Der Fall Carnac

oder

Der Hahn
im Geschirrschrank

Eine Detektivgeschichte
für Kinder

Otto Maier Verlag Ravensburg

Erstmals 1970 in den Ravensburger Taschenbüchern
Lizenzausgabe mit Genehmigung
des Herder Verlages, Freiburg – Basel – Wien

Aus dem Französischen übersetzt von Jutta und Theodor Knust
Titel der Originalausgabe »Mystère à Carnac«
erschienen bei Editions de l'Amitié-G. T. Rageot et Librairie Hatier in Paris 1962

Illustrationen von Helen Brun
Umschlagentwurf von Karlheinz Groß

Alle Rechte dieser Ausgabe vorbehalten durch
Otto Maier Verlag Ravensburg
Gesamtherstellung: Druckerei Am Fischmarkt, Konstanz
Printed in Germany

10 9 8 7 6     80 79 78 77 76

ISBN 3-473-39169-7

# Erstes Kapitel

Das Abenteuer begann an einem Morgen im Juli.

Als an diesem Tag der Briefträger läutete, ahnte noch niemand, daß sich damit ein Abenteuer ankündigte.

»Ein Brief von Loute!« sagte Mama und schlitzte den Umschlag auf.

Line hob den Kopf. Sie war gerade damit beschäftigt, auf die Serviettentaschen, die sie in die Ferien mitnehmen wollten, mit Kreuzstich den Anfangsbuchstaben eines jeden Mitglieds der Familie zu sticken. Sechs Serviettentaschen mit sechs Buchstaben! Das Stielstichmuster gar nicht mitgerechnet, das Peter erst noch entwerfen sollte und das sie dann in drei verschiedenen Farben ausführen wollte ... falls sie es vor der Abfahrt noch schaffte.

Sie hatte also wirklich keine Zeit zu verlieren. Aber die Briefe von Loute waren immer so lustig.

»Was schreibt sie denn?«

»Sie lädt uns in die Überholwerft ein.«

Peter, der sein Fahrrad im Garten putzte, kam eilig angelaufen.

»Was hast du gesagt? Loute lädt uns ein? Verrückt, es ist doch alles für Spanien vorbereitet!«

»Peter, bitte!«

Die Zwillinge, die gerade ein Autorennen im Hausflur veranstalteten, ließen ihre vielfarbigen Spielzeugautos im Stich.

»Ich will aber nicht in die Überholwerft!« stieß Genoveva hervor. »Ich will nach Spanien fahren!«

»Ich auch, ich will auch lieber nach Spanien!« stimmte Gerhard ein.

»Ruhe, ihr beiden!« schimpfte Peter. »Ihr fahrt ja nach Spanien. Plärrt nicht!«

Sein Strubbelkopf tauchte im Fenster auf. Line mußte lachen. Ihr Bruder konnte kein Werkzeug in die Hand nehmen, ohne sich das Gesicht schmutzig zu machen wie ein Schornsteinfeger.

»Was schreibt Loute denn nun genau?«

Genau! Das war echt Peter. Zwanzigmal am Tag benutzte er das Wort. Alles mußte »genau« sein.

»Wenn du's genau wissen willst, sie lädt uns für die Ferien in die Überholwerft ein – nicht nach Monte Carlo.«

Peter zuckte die Achseln.

»Ist es wahr, Mama? Hat Loute uns wirklich eingeladen?«

Mama gab keine Antwort. Sie las den Brief aufmerksam noch einmal, und ihr Gesicht drückte eine Besorgnis aus, die den Kindern nicht entging.

Genoveva, die das für ein schlechtes Zeichen hielt, maulte und erklärte noch einmal mit Nachdruck: »Ich will nicht in die Überholwerft! Ich will nach Spanien!«

»Ich auch!« rief Gerhard im gleichen Ton.

»Ihr seid unausstehlich«, schimpfte Line, »die reinsten Papageien! Ich denke, ihr mögt Anne und Ludwig gern?«

»Wir können sie ja mit nach Spanien nehmen.«

Währenddessen beobachtete Peter seine Mutter, und etwas in ihrem Verhalten machte ihn unruhig.

In diesem Augenblick kam Papa und fand die ganze Kinderschar um die Mutter versammelt.

»Was ist denn hier los?«

»Loute hat uns eingeladen. Wir wollen aber nicht in die Überholwerft!«

»Lies selber!« sagte Mama einfach.

Damit reichte sie ihm den Brief.

Papa überflog ihn.

Und dann bemerkten die Kinder, daß Papa, genau wie Mama eben, den Brief aufmerksam noch einmal las.

Als er damit fertig war, schaute er Mama an, die ihn während der ganzen Zeit betrachtet hatte.

»Das ist eine Einladung, die mir eher nach einem Hilferuf klingt.«

Ein wenig später erfuhren die Kinder, was in Loutes Brief stand.

*Mir ist soeben eine Vertretung als Krankenschwester in der Klinik von Dr. Foix in Vannes angeboten worden*, schrieb Loute. *Nach den Kosten für die Instandsetzung des Daches der Überholwerft ist mir diese Stellung sehr willkommen. Ich mußte sofort annehmen oder absagen. Ich habe angenommen, da es hier kaum andere Möglichkeiten für mich gibt.*

*Aber ich mache mir Sorgen um Anne und Ludwig, die dann allein in der Überholwerft bleiben müssen.*

»Sie sind ja schließlich keine Säuglinge mehr!«

»Still!«

*Es ist während der Saison unmöglich, einen Menschen zu finden, der sich um sie kümmert. Nach Eurem letzten Brief hattet Ihr ja noch keine Pläne für die Ferien.*

Doch, sie hatten Pläne!

*Wenn Ihr also nichts Besseres vorhabt, schlage ich vor, hierherzukommen. Die Überholwerft ist riesig – leider! Und sie verdient ihren Namen jetzt mehr denn je.*

8

»Das heißt«, warf Line ein, »daß Loute für die Instandsetzung viel Geld ausgegeben hat.«

»Sie ist restlos abgebrannt! Genau das heißt es.«

»Das ist sie doch immer. Das ist nichts Neues . . .«

Während die Kinder noch ihre Bemerkungen zu Loutes Brief machten, dachten Papa und Mama darüber nach.

Mama deckte den Tisch zum Mittagessen.

Durch das Fenster sah sie die schmalen Gärten, wo auf kargem Boden und in rauchverschmutzter Luft kümmerliches Gemüse und ein paar traurige Blumen wuchsen. Es war eine Vorstadt von Versailles, nicht weit von der Autostraße nach Westen. Bescheidene Einfamilienhäuser säumten die Straße, deren Fahrbahn noch nicht einmal befestigt war.

Dabei dachte sie an die schönen Bäume der Überholwerft, ein wahrer Park, von dem man herrliche Ausblicke auf das Meer hatte. Der Seewind, der mit mächtigem Atem blies, hatte die Zypressen alle nach der gleichen Richtung gebeugt, so daß die Westallee dem Wind einen struppigen Rücken von kahlen Zweigen zukehrte.

In den Sturmnächten prasselte der Sand der nahen Dünen an die Fensterläden, und der Wind heulte durch die Bodenräume des riesigen Gebäudes, dessen kräftige Balken an einen Schiffsrumpf erinnerten.

Arme Überholwerft! Als Mama noch ein kleines Mädchen war, verbrachte sie ihre Ferien immer in der Überholwerft, deren richtiger Name »Kananaouen« lautete . . .

Loute hatte das alte Haus »Die Überholwerft« getauft, weil schon damals dauernd Reparaturen nötig waren

– wie bei einem Schiff, das allzu häufig ins Trockendock der Überholwerft mußte.

Loute war weder die Schwester noch die Kusine von Mama. Sie war mehr: sie war ihre Freundin. Die Beziehungen zwischen den beiden Familien – den Parisern und den Bretonen – reichten schon mehrere Generationen zurück, aber niemand wußte noch zu sagen, ob ursprünglich die Pariser nach Carnac gekommen oder die Bretonen nach Paris ausgewandert waren.

Doch alle betrachteten die Überholwerft als das alte Familienhaus. Für Loute war es das auch wirklich: Nach dem Tod ihres Mannes hatte sie sich mit ihren beiden Kindern Anne und Ludwig dorthin zurückgezogen.

»Eins ist klar«, sagte Herr Belfond plötzlich, »wir können Loute nicht im Stich lassen.«

Er stand aus seinem Sessel auf, trat ans Fenster und trommelte mechanisch gegen die Fensterscheibe.

»Schließlich ist ein Aufenthalt in der Überholwerft für uns alle erholsamer als eine lange Reise nach Spanien.«

Er wandte sich zurück und sah seine Frau an.

»Meinst du nicht auch? Ich könnte in den Ferien angeln, das würde mir Spaß machen... Oder legst du großen Wert auf Spanien? Warum lachst du? Was habe ich gesagt?«

»Und Espinola, Jakob?«

»Ach, Espinola kann ruhig noch warten. Er wartet nun schon drei Jahrhunderte!«

»Aber das Buch ist fast fertig! Du wolltest doch in Spanien nur noch die letzten Einzelheiten nachtragen.«

»Nun ja, weißt du, schließlich hat es kein Mensch eilig zu erfahren, ob Fernando Espinola tatsächlich der ist, für den ich ihn halte, oder ein anderer des gleichen Namens.«

Mit Espinola war es nämlich so: Herr Belfond benutzte seit mehreren Jahren seine Mußestunden dazu, eine Geschichte seiner Vaterstadt Le Cateau-en-Goëlle zu schreiben. Während der Besetzung der Niederlande durch die Spanier hatte Le Cateau einen gewissen Espinola als Gouverneur gehabt, der entscheidende Maßnahmen zum Besten der Stadt ergriffen hatte. Über diesen Espinola hatte Herr Belfond jedoch weder in Frankreich noch in Belgien irgendwelche Angaben finden können.

Dagegen hatte der Direktor der Archive in Madrid, an den er sich gewandt hatte, angeboten, ihm gewisse noch nicht ausgewertete Akten zugänglich zu machen, die sich auf einen Espinola, Gouverneur in Flandern, bezogen. Welch unverhoffter Fund für einen Forscher!

Alsbald wurde daher beschlossen, nach Madrid zu fahren, und die Kinder waren diesem Espinola dankbar, daß er ihnen die Gelegenheit zu einer schönen Reise verschaffte.

Und nun stellte Loutes Brief das alles in Frage.

»Du wirst verstehen«, begann Herr Belfond von neuem, »wenn ich zwischen Loute und Espinola zu wählen habe ... Espinola kann bis zum nächsten Jahr warten. Loute ist ein famoses, mutiges Mädchen, dem wir helfen müssen. Wir werden ihre Einladung also annehmen.«

»Ja, aber du ...«

»Glaub nur nicht, daß ich ein Opfer bringe! Die Ferien in der Überholwerft werden herrlich, du wirst sehen.«

Mama drängte zunächst nicht weiter.

»Ich freue mich natürlich, das weißt du, Jakob. Ich freue mich für Loute. Aber die Kinder werden schrecklich enttäuscht sein.«

Beim Abendessen wurde die Entscheidung verkündet.
Die Zwillinge erhoben zwar noch Widerspruch; doch da sie sich gerade vor dem Abendessen bei ihrer Automobilsternfahrt heftig gezankt hatten, war die Frage des Ferienaufenthalts auf den zweiten Platz gerückt.
Line war unentschlossen und wußte selber nicht recht, was sie lieber wollte. Gewiß, die Reise nach Spanien wäre sehr schön gewesen, aber sie spürte, daß Mama Loute auf keinen Fall im Stich lassen mochte. Und Papa – natürlich . . . Für Loute auf ein Vergnügen zu verzichten war eine Freude, und außerdem hatte Line das Gefühl, ein Opfer zu bringen, das sie in ihren eigenen Augen wachsen ließ. Sie war schon fast über sich selber gerührt, als sie spürte, daß Peter sie kritisch musterte, und sogleich gab sie sich Mühe, wieder natürlich zu sein.
Peter dagegen machte das alles nichts aus.
Er hatte sofort begriffen, daß seine Eltern entschlossen waren, auf die Reise nach Spanien zu verzichten, um Loutes Hilferuf nachzukommen. Was hätte es dann für einen Sinn gehabt, sich müßigen Klagen hinzugeben? Er hatte die feste Absicht, das Beste aus den Ferien in der Überholwerft herauszuholen.

# Zweites Kapitel

Line öffnete die Augen, und für Sekunden wähnte sie sich in einer Grotte von Perlmutt. Dann nahmen die Dinge Gestalt an, und sie erkannte die Wände ihres Zimmers, ihre schmale Couch und das kleine Bett, in dem Genoveva schlief.

Die Nacht war klar und sehr mild. Das Mondlicht ergoß sich durch das weit geöffnete Fenster. Kein Windhauch. Kein Laut im Haus, weder auf der Straße noch im Viertel, weder in der Stadt noch auf der Welt.

Und plötzlich sah Line die Straßen Spaniens, weiße Straßen, auf denen der Wind den Staub aufwirbelte und über Pinien und Eukalyptusbäume trieb . . .

Ach nein! Sie würde ja nicht über die Straßen von Spanien fahren, nicht den kleinen Eseln begegnen, die mit Bergen von Tomaten und Wassermelonen beladen waren.

Line sah die Überholwerft vor sich, die mächtige graue Fassade in Mondlicht getaucht, das blaue Schieferdach, das so undicht war, daß man an Regentagen mit Eimern, Becken, Tonschalen, Töpfen und sogar den Kupferkesseln, die an den getäfelten Wänden des Eßzimmers hingen, auf den Speicher rennen mußte.

Dann ging es im Wettlauf die Treppe hinauf, angetrieben von Loute, die verzweifelt war und wenigstens die Fußböden und Decken der Zimmer retten wollte. Bei dem strömenden Regen, der draußen niederging, machten all diese Behälter, von denen jeder auf seine Weise sang, eine so hübsche Musik, daß die Retter stehenblieben und ihr atemlos und hingerissen lauschten.

Selbst Loute vergaß dann das drohende Unheil und rief: »Mein Gott, ist das schön!« Und dann mußten alle laut lachen.

Plötzlich sprang Line aus dem Bett, zog den Morgenrock an, schlüpfte in die Pantoffeln und tat ein paar Tanzschritte. Alle Müdigkeit war jäh verflogen.

Line hatte den Eindruck, daß sich die Gedanken in ihrem Kopf überstürzten. Ihr war eine Idee gekommen. Sie öffnete die Verbindungstür und trat ins Schlafzimmer der Jungen.

Peter schlief zu einer Kugel zusammengerollt und unter der Decke verkrochen wie eine Schnecke in ihrem Haus.

Sie setzte sich auf den Bettrand und rüttelte ihren Bruder an der Schulter.

Der drehte sich um, fuhr jäh hoch und sah verstört um sich.

»Pst!« machte Line. »Ich habe eine Idee.«

Peter stieß einen tiefen Seufzer aus, fuhr sich mit den Händen durchs Haar und gähnte herzhaft.

»Hörst du nicht? Ich habe eine Idee.«

»Dann schieß los!« sagte Peter nüchtern.

»Wir könnten doch allein in die Überholwerft fahren . . .«

»Allein?«

»Ja. Du, ich und die Kleinen. Dann könnten Papa und Mama nach Madrid fahren. Papa sucht in den Archiven nach seinem Espinola. Und wir wären bei Anne und Ludwig. Damit wäre alles in bester Ordnung. Ich koche, und du beaufsichtigst das Haus. Anne kann mir

im Haushalt helfen, und Ludwig wird dein Adjutant.
Was hältst du davon?«

»Prima!« sagte Peter. »Ludwig könnte sich um die
Kleinen kümmern, und ich würde die Überholwerft
bewachen. Dazu nehme ich das Gewehr, das im Salon
über dem Kamin hängt.«

»Meinetwegen«, erwiderte Line.

»Schade, daß es keinen Hund dort gibt! Sonst könnte

ich auf die Jagd gehen, und wir hätten Wild zu essen.«

»Vielleicht könntest du in den Wäldern Kaninchen schießen. Die gibt es zu Hunderten.«

»Sogar Fasanen! Weißt du, wie die zubereitet werden?«

»So ähnlich wie ein Huhn. An dem großen Bratspieß, weißt du, an dem, der wie ein Wecker klingelt, wenn der Braten gar ist!«

»Gemacht!« sagte Peter.

Je länger er über Lines Idee nachdachte, desto besser fand er sie.

Allein in der Überholwerft zu leben, das änderte alles! Schließlich würde er der älteste Junge dort sein, der Mann, der Chef der Familie. Selbst Loute würde auf seine Ansicht hören. Vielleicht würde sie ihm sogar erlauben, ihren Citroën zu fahren . . .

»Deine Idee ist großartig«, sagte er mit Überzeugung. »Ich mache mit.«

Er war jetzt völlig wach und ebenso aufgeregt wie seine Schwester.

»Und die Eltern«, sagte er, »glaubst du, daß die einverstanden sind?«

»Sie werden einverstanden sein«, erwiderte Line, »wenn wir ihnen klarmachen . . .«

»Daß wir ohne sie auskommen können!«

»Ja. Und daß uns das sogar mal gut tut . . . für unsere Erziehung, verstehst du?«

Beide mußten lachen.

»Vor allen Dingen dürfen sie nicht glauben, wir brächten ein Opfer.«

»Wir bringen ja auch kein Opfer«, erklärte Peter. »Wer redet denn von Opfer? Nach Spanien fahren wir ein andermal. In der Überholwerft wird's viel schöner, wenn wir allein sind.«

»Das finde ich auch«, erwiderte Line hingerissen.

Als die Zwillinge aufwachten, wurden sie von dem Entschluß ihrer älteren Geschwister unterrichtet. Die beiden Großen erklärten ihnen, daß das Leben in der Überholwerft ohne die Eltern schrecklich interessant sein werde. Ein richtiges Schloßleben, wo jeder tun konnte, was er wollte. Sie versprachen Genoveva, daß sie sämtliche Eierkuchen und Gebäcksorten backen dürfe, die sie ausprobieren wolle, und Gerhard könne mit Peter und Ludwig auf die Jagd gehen. Sie seien ja schließlich keine Säuglinge mehr. Die Eltern hätten das zwar noch nicht begriffen, aber es sei trotzdem wahr – schon lange.

»Laßt uns nur reden«, erklärte Line, »ihr braucht nur zu allem ja zu sagen.«

»Wehe euch, wenn ihr dummes Zeug quasselt!« rief Peter. »Dann schlage ich euch den Schädel ein. Verstanden?«

Beim Frühstück wurde der erste Angriff auf Mama geführt.

»Heute nacht ist mir eine Idee gekommen«, begann Line. Und sie setzte Mama alles auseinander.

»Vor allem wegen Papa, weißt du, es war ihm doch so wichtig, mit diesem spanischen Herrn über Espinola zu sprechen.«

»Es wäre ja unvernünftig!« fiel Peter ein. »Wir kommen allein sehr gut zurecht. Line ist vierzehn und ich dreizehn. Wenn man in dem Alter nicht allein fertig wird, ist man ein Idiot!«

Es folgte eine Aufzählung aller Jungen und Mädchen

aus ihrem Bekanntenkreis, die wie Erwachsene handelten.

Mama begriff sofort, daß sich im Lauf der Nacht eine Verschwörung gebildet hatte. Sie betrachtete die vier zu ihr aufgehobenen Gesichter und las in allen gleichzeitig Entschlossenheit und gespannte Erwartung.

›Mein Gott‹, dachte sie, plötzlich traurig, ›sie träumen schon davon, uns zu verlassen . . .‹

Sie sah einen nach dem andern an. Keine Spur von Bedauern oder Traurigkeit bei der Aussicht auf eine Trennung. Im Gegenteil. Und die Zwillinge? Ja, sogar den Zwillingen schien der Gedanke, allein zu verreisen, zu behagen.

»Ja«, sagte sie, »die Idee finde ich ausgezeichnet, Line. Es ist schön von euch, daß ihr an Papa und an Loute denkt. Wir wollen abwarten, was Papa zu euerm Plan sagt. Und dann müssen wir auch Loute noch um ihre Ansicht fragen.«

»Und du, bist du denn einverstanden?«

Das war so echt Peter. Er wollte sofort eine klare Antwort.

»Im Prinzip ja.«

»Dann ist ja alles bestens eingerührt.«

»O Peter! Diese Ausdrucksweise!«

Peter bemerkte den wütenden Blick, den seine Schwester ihm zuwarf. Jetzt, wo alles so gut ging, konnte er schließlich auf sein Mundwerk aufpassen!

»Ich meinte ja nur, wenn du einverstanden bist, dann ist Papa auch einverstanden. Papa tut alles, was du willst. Stimmt doch?«

Die Schmeichelei war so dick aufgetragen, daß Mama wider Willen lächeln mußte.

»Nun, das werden wir heute mittag ja sehen.«

Doch die Entscheidung wurde an diesem Mittag noch nicht gefällt. Die Eltern verschanzten sich hinter Loutes Beschluß.

Die Kinder erklärten sich bereit, den Brief aufzusetzen. Und dann hieß es warten.

Drei Tage später traf Loutes Antwort ein. Es war ein Triumph für die Kinder. Loute war einverstanden. Sie setze unbedingtes Vertrauen in Line und Peter. Anne und Ludwig wüßten sich vor Freude nicht zu fassen. So würden alle die Ferien richtig genießen können. Und das sei herrlich.

Am nächsten Tag kam ein zweiter begeisterter Brief, an Line und Peter gerichtet und von Anne und Ludwig unterschrieben. Welche Freude, daß sie alle wieder zusammensein würden! Sie wollten große Ausflüge und Picknicks vorbereiten. Sie könnten im Meer angeln. Aber das sei noch nicht alles.

*Stellt Euch vor, es gibt ein Gespenst in der Überholwerft. Ludwig hat es gesehen! Anne hat es gehört. Türen fallen zu. Lichter leuchten auf und verlöschen.*

»Das wird irgend so ein Witzbold sein, der sich einen Spaß daraus macht, andern Leuten Angst einzujagen«, sagte Peter. »Den werden wir fangen und mit Stricken umwickeln wie einen Rollbraten!«

Als Line die Seite umblätterte, fiel ein kleiner Zettel zu Boden. Peter hob ihn auf und entzifferte ihn mühsam.

*Es ist kein Gespenst, es ist ein Einbrecher. Schweigt darüber! Ganz geheim! Ludwig.*

Die in aller Eile hingekritzelten Worte waren auf dem winzigen Streifen Papier, der von einer Schokoladenhülle stammte, kaum zu lesen.

»Was soll das heißen?« flüsterte Line. Peter hatte den Zettel seiner Schwester gereicht.

»Das ist doch klar! Wir reden noch darüber. Still jetzt!«

»Was ist es denn?« fragte Genoveva.

»Nichts, ein Witz von Ludwig.« Damit schob Peter den Zettel in die Hosentasche.

Es folgten ein paar Tage mit fieberhaften Vorbereitungen und immer wieder eingeschärften Verhaltensvorschriften.

Dann wurden die Fahrkarten gekauft.

Jeder packte seinen Koffer selbst, fertigte eine Liste seiner Sachen an, versprach hoch und heilig, nichts davon zu verlieren, sich vor jeder Mahlzeit die Hände zu waschen, die Zähne zu putzen und ausschließlich in der Kaninchenbucht zu baden, die keine Gefahren bot.

»Das schwöre ich euch!« sagte Peter. »Wir gehen niemals woandershin. Ihr könnt ganz unbesorgt sein. Und noch etwas anderes: Wenn wir uns wiedersehen, haben Gerhard und Genoveva schwimmen gelernt. Das verspreche ich euch.«

»Ich kann's doch schon!« rief Gerhard.

»Ach, du bleibst mit einem Fuß immer auf dem Grund! Man sieht doch, wie der Sand aufgewirbelt wird«, widersprach Genoveva. »Aber ich kann toten Mann!«

»Ja, in drei Zentimeter Wasser!«

Line warf ihnen einen strengen Blick zu. Sie wollten sich doch nicht etwa streiten!

»Und jetzt geht ins Bett! Euer Zug fährt um neun. Ihr müßt also früh aufstehen.«

Das war ein Gewühl auf dem Bahnhof! Ein Dutzend Ferienkolonien reisten zur bretonischen Küste. Koffer in allen Farben, Wimpel, die im Winde flatterten,

eifrig beschäftigte Gruppenführer, die die Namen auf-
riefen, Lieder, Lachen, strahlende Freude, die aus tausend Gesichtern leuchtete.

Von der allgemeinen Fröhlichkeit angesteckt, sangen
die Geschwister ebenfalls, als sie sich einen Weg durch
die Menge bahnten.

Sie fanden ihren Wagen und ihr Abteil. Vier Reisende
hatten sich schon darin eingerichtet, doch die reservier-
ten Plätze waren tatsächlich frei: 43, 44, 45, 46.

Der Zug hallte von einem Ende zum andern von Lie-
dern wider. Papa und Mama, von der Flut der Reisenden hin und her gestoßen, hatten sich an den Rand des
Bahnsteiges zurückgezogen.

Hin und wieder rief Papa oder Mama ihnen noch einen
guten Rat zu, den die Kinder jedoch nicht verstehen
konnten.

Aufs Geratewohl antworteten sie deshalb:

»Ja, ja!«

Die mächtige Stimme des Lautsprechers erklang: »In
den D-Zug nach Le Mans, Angers, Nantes, Redon,
Vannes, Auray, Lorient, Rosporden, Quimper . . . bitte
einsteigen und die Türen schließen! Vorsicht bei der
Abfahrt des Zuges.«

Man spürte das Anfahren gar nicht. Papa und Mama
hoben die Arme. Auf Wiedersehen! Auf Wiedersehen!
Gerhard und Genoveva brachen in Tränen aus.

# Drittes Kapitel

›Das ist ja eine schöne Bescherung!‹ dachte Peter und warf einen wütenden Blick auf die tränenüberströmten Gesichter der jüngeren Geschwister. ›Soll ich ihnen den Schädel einschlagen oder was?‹

Aber so einfach war es nicht, jemandem »den Schädel einzuschlagen«, deshalb begnügte er sich damit, sie anzufunkeln und fürchterlich die Augen zu rollen.

Line bemühte sich um die Zwillinge, so gut sie konnte.

»Da, der Eiffelturm!« rief sie plötzlich.

Der Eiffelturm erhob sich zur Rechten über einem ungeheuren Meer von roten und blauen Dächern.

Einige Minuten später war es das Schloß von Versailles, das Line anstaunte.

Und schließlich kam der Kellner des Speisewagens und schwenkte seine Glocke.

»Belegte Brote! Limonade!«

»Ich habe Hunger!« rief Gerhard. »Einen Hunger habe ich!«

»Und ich Durst!« setzte Genoveva hinzu.

»Geben Sie mir eine Apfelsine!« bat Line.

Sie nahm Geld aus ihrer eigenen Tasche und bezahlte. Peter, der die gemeinsame Kasse verwaltete, schloß daraus, daß seine Schwester ihre Sparbüchse geplündert haben mußte.

Trotzdem hielt er es für recht und billig, ihr das Geld, das sie ausgelegt hatte, wiederzugeben. Doch er verschob die Angelegenheit auf später.

Nun war Ruhe eingekehrt. Die Apfelsine ging von Hand zu Hand. Sie war sehr groß, runzlig, ein wenig blaß und nicht sehr verlockend. Selbst die Kleinen fanden, es sei besser, sie für später aufzuheben.

Hunger und Durst waren vergangen. Auch der Abschiedsschmerz. Im Augenblick bemühten sich die Zwillinge, die Namen der kleinen Bahnhöfe zu lesen, die an ihnen vorüberflogen.

Nur Lines Abschiedsschmerz war nicht vergangen. Sie kam sich sehr alt vor, sehr viel älter als ihre jüngeren Geschwister. Zu sehen, wie Papa und Mama zurückblieben, das hatte ihr das Herz zusammengepreßt.

Peter war in die Lektüre einer Illustrierten vertieft. Die Zwillinge plapperten bald wie Papageien. Sie selber aber saß mit ihrer Not, die sie für sich behalten mußte, ganz allein, die Apfelsine in der Hand, die niemand wollte und die sie nachher mit den Fingern würde schälen müssen, da ihr eben einfiel, daß sie das Taschenmesser mit dem Perlmuttergriff, das eigens für die Reise gekauft worden war, vergessen hatte.

Sie hob den Kopf und fing das mitleidige Lächeln auf, das ihr die eine der beiden alten Damen auf der Bank gegenüber zuwarf. Line bemerkte, daß auch die andere alte Dame sie beobachtete, und ebenso die dritte Dame neben dem dicken Herrn, der sich schon zum Schlafen eingerichtet und den Kopf an das Polster gelehnt hatte.

Die drei Damen hatten sie wohl schon seit der Abfahrt beobachtet und die Tränen und den Kauf der Apfelsine miterlebt.

Es war alles gut gegangen, Gott sei Dank, und Line glaubte in den Blicken der drei Reisegefährtinnen warme Zustimmung zu lesen!

Ein kräftiges Klopfen an der Scheibe zum Gang ließ alle auffahren. Der Zugführer!

»Die Fahrkarten bitte, meine Damen und Herren!«

Peter sprang auf und suchte fieberhaft in allen Taschen.

»Ich habe sie«, sagte Line. »Du weißt doch, Papa hat sie mir gestern abend gegeben.«

Zuerst war besprochen worden, daß Peter die Fahrkarten einstecken sollte, doch dann hatte sich herausgestellt, daß seine Taschen ungeeignet dafür waren. Deshalb hatte Line schließlich den Auftrag erhalten, sie an sich zu nehmen.

Erleichtert vertiefte sich Peter wieder in seine Lektüre, und Line machte gelassen die Handtasche auf.

Seit der Brief von Anne und Ludwig gekommen war, hatten sich Line und Peter immer wieder über diese geheimnisvolle Geschichte von Gespenstern, die Einbrecher waren, unterhalten.

Line fühlte sich ein wenig beunruhigt und hatte überlegt, ob sie nicht den Eltern davon erzählen müsse. Aber dann wäre es gar nicht mehr in Frage gekommen, daß sie allein in die Überholwerft gefahren wären. Deshalb redete sie sich ein, daß Ludwig sicher nur Spaß gemacht habe.

Aber Peter nahm die Sache ernst. Mehrmals hatte er geäußert, daß es am besten sei, wenn er sich einen Revolver beschaffe. Doch im schlimmsten Fall habe er ja immer noch sein Fahrtenmesser. Und da es in der Überholwerft ein Gewehr gebe, seien sie für alles gerüstet.

Und jetzt, wo der Zug sie mit mehr als hundert Stundenkilometern zur Überholwerft trug, zeichnete sich der Gedanke an das Abenteuer, dem sie entgegenfuhren, immer klarer in ihrem Geist ab.

›Ob es wirklich ein Scherz ist?‹ überlegte Line besorgt. Und Peter: ›Vielleicht ist es ja doch nur ein Scherz!‹

Und obwohl sie sich insgeheim fast nur noch mit dieser Frage beschäftigten, verloren sie auf der ganzen Fahrt nicht ein Wort darüber.

Es nutzte nichts, daß Peter immer wieder erklärte, sie hätten noch eine gute Stunde zu fahren; die Sorge, sie könnten die Station verpassen, machte die Geschwister unruhig.

»Vor zwei Stunden hast du auch schon gesagt, es dauert noch eine Stunde«, rief Genoveva.

Über diese Bemerkung mußten die Mitreisenden lachen, und Peter dachte verärgert, daß es den Jüngeren wirklich an Erziehung fehle. Er schwor sich, das alsbald in Ordnung zu bringen.

Schon mehrmals hatte Gerhard verkündet, er sehe das Meer, doch jedesmal war es nur eine Wolke zwischen zwei Hügeln, auf denen Kiefern und Stechginster wuchsen. Aber als der Zug dann wirklich in den Bahnhof von Auray einfuhr, passierte es ausgerechnet ihm, daß er in der Toilette saß und mit großem Geschrei herausgeholt werden mußte.

Loute stand schon da, als sie ausstiegen, das strahlende Gesicht zu ihnen emporgehoben und die Arme ausgebreitet.

»Willkommen! Willkommen! Habt ihr eine gute Fahrt gehabt?«

Und dann gab es Küsse, einen auf jede Backe und noch einen als Zugabe.

»Mama hat mich angerufen und mir die Nummer eures Wagens genannt. Mein Gott, wie groß ihr geworden seid! Du bist blaß, Genoveva, fühlst du dich nicht wohl? Habt ihr gefrühstückt? Wollt ihr im Wartesaal etwas essen? Line, Liebling, wie schick du bist! Wie ich mich freue, euch wiederzusehen! Anne und Ludwig sind rein närrisch, schon den ganzen Morgen. Sie kommen uns entgegen. Habt ihr auch nichts vergessen? Eure Koffer? Keine Pakete? Gebt mir das, ihr Zwillinge! Wer hat die Fahrkarten? Gut, nun also los!«

Wahrhaftig, das waren schon die Ferien! Loute war immer noch die alte, lebhaft, klein, mit rundem Gesicht und goldbrauner Haut, das Haar kurz und straff, im Wesen jungenhaft zupackend und von fröhlichem Schwung.

Loutes kleiner Citroën war zartgrün, ein wenig verstaubt und mit einem ausgeblichenen Verdeck von blauschwarzer Farbe. Schrammen und Beulen an den Kotflügeln verrieten den langen Gebrauch nur zu deutlich.

»Da ist die ›Krabbe‹«, sagte Loute, »die Königin der Autos!«

»Peter, du setzt dich neben mich«, bestimmte Loute, »und gibst auf die Tür acht. Bei schlechten Wegstrekken springt sie manchmal auf. Die andern schließen gut. Nun steigt ein!«

Das war nicht ganz einfach mit den vielen Koffern, doch schließlich waren die Reisenden und ihr Gepäck untergebracht.

Beim ersten Versuch sprang der Motor mit dem Rattern einer Nähmaschine an, und der Wagen schoß wie ein junger Ziegenbock davon.

Die kleinen, von steinernen Mäuerchen eingefaßten Felder, der blühende Ginster, die Kiefern und vor allem der blaue Himmel mit dem wunderbaren Licht vom Ufer des Meeres!

Wie fern Paris lag! Und dennoch wurde nur von Papa und Mama gesprochen, von ihrer Reise, von dem geheimnisvollen Espinola und von dem Buch, das allmählich fertiggestellt wurde.

»Und dieses Gespenst?« rief Line plötzlich.

»Ach ja, das Gespenst, das Gespenst!« wiederholten die Zwillinge ganz aufgeregt.

»Welches Gespenst denn?« fragte Loute.

»Das mit einer Stearinkerze spazierengeht! Anne und Ludwig haben uns geschrieben . . .«

Loute ließ das Lenkrad los und hob die Arme zum Himmel.

»O diese Dummköpfe! Von Gespenstern haben sie euch geschrieben! Ich habe ja ihren Brief nicht gelesen. Und nun wette ich, daß ihr Angst habt.«

»Nein, gar nicht. Im Gegenteil. Mich reizen Gespenstergeschichten. Stimmt das wirklich? Gibt es ein Gespenst in der Überholwerft?«

»Was für eine Geschichte!« rief Loute lachend. »Ich fürchte, ihr werdet sehr enttäuscht sein. Wahrscheinlich hat Ludwig einen Widerschein des Mondes auf der Fensterscheibe gesehen und Anne, die nicht sehr mutig ist, eine Tür zuschlagen hören. Weiter nichts. Und da schreiben sie euch von Gespenstern! Ihr werdet euch schön über sie lustig gemacht haben!«

Peter drehte sich zu Line um und zwinkerte ihr zu. Loute wußte also anscheinend gar nichts.

Fröhlich fuhren sie dahin, während alle zur gleichen Zeit redeten, lärmend lachten und die »Krabbe« munter über die Löcher der Straße holperte.

Loute lenkte sie mit leichter Hand, fast als ob sie überhaupt nicht ans Fahren dächte; und trotzdem konnte man sicher sein, daß sie scharf aufpaßte.

Von Zeit zu Zeit, sobald eine Steigung die Geschwindigkeit herabsetzte, griff Loute nach dem Ganghebel, zog ihn an sich oder schob ihn mit einer schwungvollen Armbewegung von sich weg, als müsse sie ein Feuer in den Eingeweiden des Motors schüren. Dann ratterte die »Krabbe« noch lauter und machte einen wütenden Satz, der Peter in Entzücken versetzte.

»Da sind sie!« rief Loute auf einmal.

Am äußersten Ende einer langen, geraden Wegstrecke bemerkten die Kinder zwei winzige blaue Gestalten.

»Sie müssen wie die Verrückten gefahren sein! Sie sind bestimmt klatschnaß.«

»Sind es nicht drei? Ludwig hat doch jemand auf der Stange.«

»Oh«, rief Loute, »sie haben Kikri mitgebracht. Diese Affen!«

›Kikri? Kenne ich nicht‹, dachte Peter. ›Das muß ein Hund oder eine Katze sein.‹

Doch als die Radfahrer näher kamen, erkannte er rote und dunkelgrüne Flecke. Einen Hund oder eine Katze mit roten und grünen Flecken hatte noch kein Mensch gesehen.

»Das ist ja ein Hahn!« rief Line plötzlich.

»Ein Hahn? Ein Hahn auf einem Fahrrad?«

Die Zwillinge trampelten vor Vergnügen mit den Füßen.

Und es war wirklich ein Hahn, der da auf der Lenkstange saß und sich an Ludwigs Brust schmiegte, ein schöner Hahn mit rotem Kamm und grünen Reflexen im prächtig rotbraunen Gefieder.

Als der Junge vom Fahrrad sprang, schlug der Hahn mit den Flügeln, fand das Gleichgewicht jedoch bald wieder. Mit aufgerecktem Hals, die Krause kampflüstern gesträubt, drehte er den Kopf nach rechts und nach links, um alles mit seinen lebhaften Augen zu beobachten.

Die Freude der Pariser war so groß, daß Loute ihren Ärger nicht allzu deutlich zeigen wollte.

»Das ist doch töricht, Ludwig!«

»Er kann nichts dazu«, sagte Anne. »Wir hatten Kikri ins Hühnerhaus gesperrt, aber er ist ausgebrochen und uns nachgelaufen.«

Inzwischen waren alle ausgestiegen und hatten nach den freundschaftlichen Umarmungen einen Kreis um Kikri gebildet. Die Pariser wollten ihren Augen kaum trauen. Doch der Hahn wirkte auf seinem Platz so zufrieden und betrachtete die Welt mit einem solchen Hochmut, daß die Kleinen tief beeindruckt waren.

»Beißt er?« fragte Genoveva.

»Er ist das reinste Lamm.«

»Außer zu Fremden. Neulich hat er dem neuen Briefträger, den er nicht kannte, die Hose zerrissen.«

»Und erst die Hunde! Hunde kann er nicht ausstehen. Er wird schon wütend, wenn sich nur einer in die Nähe des Hauses wagt.«

»Wir müssen weiter, Kinder, damit wir nach Haus kommen. Und ihr beide fahrt vorsichtig mit euerm Kikri!«

»Wir werden eine Wettfahrt machen.«

»Ludwig, ich bitte dich.«

»Das war doch ein Spaß, Mama.«

Ludwig stieg auf sein Fahrrad, und Kikri drängte sich an seine Brust und lüftete die Flügel, als wolle er den Fahrwind stärker genießen.

Sie näherten sich Carnac. Heide und Kiefernwälder wechselten längs der Straße miteinander ab.

Vom Gipfel einer kleinen Anhöhe sahen sie in der Ferne das blaue Meer, die weißen Dünen, den langen violetten Zug der Halbinsel Quiberon und die roten, gelben, blauen Zelte eines Campinggeländes.

Und plötzlich waren sie auf dem Feld der Menhire, der Hünensteine.

»Morgen kommen wir hierher und fotografieren die Steine«, rief Line.

Kinder, die am Straßenrand hockten, schossen auf den Wagen zu, doch als sie Loute erkannten, riefen sie lachend »guten Tag« und machten kehrt.

»Was wollten die denn?« fragten die Kleinen.

»Wißt ihr das nicht mehr?« rief Line. »Sie haben uns doch mal die Sage der Menhire erzählt.«

»Und die vom heiligen Kornelius!«

»Und warum erzählen sie die Legenden?«

»Weil sie sehr arm sind«, erwiderte Loute. »Die Touristen schenken ihnen ein paar Münzen.«

»Und warum haben sie sie uns nicht erzählt?«

»Weil wir sie kennen.«

»Ich kenne sie nicht«, sagte Genoveva.

»Ich auch nicht«, stimmte Gerhard ihr zu.

»Ihr könnt sie von uns hören«, rief Line, »dann könnt ihr sie auch den Touristen erzählen. Da schaut!«

Ein großer schwarzer Wagen, der sie eben überholt hatte, wurde von einer andern Kindergruppe bestürmt.

Der Wagen hielt, und ein Herr im grauen Anzug, sehr dick und braungebrannt, stieg aus. Sofort umdrängten ihn die Kinder, und er drückte freundschaftlich die Hände, die sich ihm entgegenstreckten.

Als der Citroën vorüberfuhr, grüßte der dicke Herr Loute sehr zuvorkommend. Er verbeugte sich tief, und etwas Goldenes blitzte an seiner rechten Hand auf.

»Das ist Don Ameal«, sagte Loute. »Er ist sehr freigebig zu den Kindern dieser Gegend.«

»Ist er Spanier?«

»Ich glaube. Ihr werdet ihn kennenlernen. Er kommt oft in die Überholwerft. Er wird euch ungewöhnliche Geschichten erzählen.«

# Viertes Kapitel

»Ich erkenne alles wieder!« rief Line, als der Wagen von der Straße abbog und in die Zypressenallee einfuhr. »In den zwei Jahren hat sich nichts verändert.«

»Leider doch. Es hat sich manches verändert«, seufzte Loute. »Und dabei ist noch soviel zu tun: die Bäume zu beschneiden, das Gras zu mähen, das Portal auszubessern, große Stücke des Mauerwerks neu zu verfugen. Dieses Haus ist ein Faß ohne Boden. Die Reparatur des Daches hat mich ein Vermögen gekostet . . . Aber das konnte ich nicht mehr aufschieben, es drohte alles einzustürzen.«

Als sie vor dem Haus hielten, sahen sie die beiden Fahrräder an der Mauer stehen. Anne und Ludwig waren schon da.

»Diese beiden Narren!« rief Loute. »Bloß um eher dazusein, haben sie den Richtweg durch die Heide genommen und dabei riskiert, sich das Genick zu brechen.«

Sie rief: »Anne! Ludwig! Wo steckt ihr?«

Anne kam sofort um die Hausecke gelaufen. Sie hatte eine Armsündermiene aufgesetzt, als sei sie bei einer Übeltat erwischt.

»Was ist passiert? Seid ihr gestürzt?«

»Aber nein. Gar nicht. Es ist nichts passiert.«

»Und wo ist Ludwig?«

»Er bringt die Räder weg.«

»Das stimmt nicht. Die Räder stehen doch hier.«

»Ach ja. Aber ich dachte . . .«

Anne log so ungeschickt, daß es alle sofort merkten.

Nun erschien auch Ludwig, er war rot im Gesicht und fühlte sich ebensowenig wohl in seiner Haut wie Anne. »Ich hatte dir doch verboten, wie ein Verrückter zu fahren«, brummte Loute. »Nennst du das gehorchen?« Ludwig ließ den Kopf hängen, ohne etwas zu entgegnen.

»Ich trage die Koffer«, rief Anne. »Kommt, eure Zimmer sind fertig.«

»Gut«, sagte Loute. »Dann werde ich was zu vespern machen. Ihr müßt ja umkommen vor Hunger.«

Line waren die bekümmerten Gesichter von Anne und Ludwig aufgefallen, und sie ahnte, daß etwas geschehen war, was ihre Freunde der Mutter verheimlichen wollten.

Peter dagegen hatte bemerkt, daß Ludwig zwar rot, aber weder außer Atem noch verschwitzt war. Und außerdem hätte Anne, wenn sie wirklich wie die Verrückten gefahren wären, ebenso rot sein müssen wie ihr Bruder. Auch er schloß daraus, daß etwas geschehen sei.

Sie brauchten nicht lange zu warten.

Während Genoveva und Gerhard mit Loute am Vespertisch sitzenblieben, gingen die vier Großen in den Hof hinaus.

»Kommt, ihr müßt euch die neue Schaukel ansehen!« sagte Anne, kaum daß sie aus der Tür getreten war.

Das war kein Vorwand. Es handelte sich wirklich um eine Schaukel.

»Jemand hat versucht, in das Haus einzubrechen«, flüsterte Ludwig, als sie unter den Bäumen angelangt waren.

»Wann?«

»Jetzt, während wir unterwegs waren. Man hat versucht, das Schloß der alten Tür aufzubrechen, die in die Futterküche führt.«

»Wißt ihr das genau?«

»Ja. Ich hatte einen Papierstreifen darübergeklebt, und der ist abgerissen. Außerdem stand der Riegel offen.«

»Ist der Einbrecher ins Haus hineingekommen?«

»Nein. Ich hatte die Tür von innen mit zwei kräftigen Balken verkeilt.«

»Aber wie könnt ihr dann wissen . . .«

»Doch. Seid still . . . Wir erklären es euch. Kommt rasch! Mama darf keinen Verdacht schöpfen. Sonst würde sie uns niemals allein lassen. Und sie muß doch morgen mit ihrer Arbeit in Vannes beginnen. Sie hat schon genug Schwierigkeiten.«

Die Schaukel bestand einfach aus einem Seil, das mit kräftigen Knoten an dem dicken Ast einer ungeheuren Zeder, des schönsten und ältesten Baumes im Park, befestigt war.

Anne und Ludwig waren über das Alter hinaus, in dem Kinder schaukeln, aber sie hatten an Gerhard und Genoveva gedacht. Ihretwegen hatte Ludwig dieses Gerät gebastelt.

»Tun wir so, als ob wir schaukelten«, sagte Anne und half Line hinauf, die sanft hin- und herzuschwingen begann.

»Ihr wißt also . . .«

»Daran ist gar nicht zu zweifeln«, erwiderte Ludwig. »Wer es auch sein mag, er muß herausbekommen haben, daß das Haus leer stand, als wir abfuhren, und das hat er sich zunutze machen wollen. Es ist nicht das erste Mal!«

»Und das ist also das Gespenst?« fragte Line.

»Zuerst wußten wir nicht recht, was es war. Da sagten wir zum Spaß: ein Gespenst. Doch später . . .«

»Und was ist nun eigentlich passiert? Bitte genau!« erkundigte sich Peter.

»Eines Abends sind wir zu dem Fräulein Kergris nach Carnac gefahren. Als wir zurückkamen – es war fast Mitternacht –, stürmte es und regnete. Ich ging voraus, weil ich nur eine kleine Kapuze hatte und Mama sagte, ich solle laufen, um ins Trockene zu kommen.

Als ich die Bäume erreichte, blieb ich stehen, um zu verschnaufen, seht ihr, dort unten, unter den ersten Zypressen. Und da bemerkte ich das Licht im Haus. Ich dachte, wir hätten eine Lampe brennen lassen, und rief: ›Mama, du hast in der Küche das Licht nicht ausgemacht.‹ Und da verschwand das Licht.

Natürlich haben sich Anne und Mama über mich lustig gemacht. Sie haben gesagt, ich fürchte mich nur im Dunkeln.«

»Und dieses Licht war wirklich im Haus?« fragte Peter.

»Nein. Wir haben darüber nachgedacht. Es war nicht im Haus. Der Mann hat wohl die Türen mit einer Taschenlampe untersucht.«

»Aber wer ist dieser Mann? Kennt ihr ihn?«

»Ich glaube, irgend so ein Kerl, der vom Campinggelände herüberkommt. Ihr habt ja die Zelte vor der Stadt gesehen. Auf diesen Campingplätzen gibt es immer alle möglichen Leute.«

»Und ich«, erklärte Anne nun, »habe gehört, wie jemand versucht hat, die Fensterläden vom Salon aufzumachen.

Eines Nachts wachte ich auf, weil ich Durst hatte. Ich bin in die Küche hinuntergegangen, um ein Glas Wasser zu trinken. Als ich unten an der Treppe war, hörte ich, wie die Tür zum Salon knarrte. Aber die Tür war zu. Da kriegte ich Angst und bin die Treppe hinaufgerannt. Mama ist aus dem Schlaf hochgefahren. Es gab eine ziemliche Aufregung. Dann sind wir alle hinuntergegangen, aber wir haben nichts gesehen. Und Mama hat gesagt, wir seien nichts als Angsthasen.«

»Jawohl! Aber am nächsten Tag habe ich den Salon untersucht. Im Salon fand sich nichts, nicht die geringste Spur. Da dachte ich an die Fenster. Und dort habe ich was gefunden. Jemand hatte versucht, einen der Fensterläden mit einem Brecheisen auszuheben. Das sah man ganz deutlich. Das Holz unten an den Brettern war gesplittert, und man sah sogar eine ganz frische Kratzspur auf dem Stein der Fensterbrüstung. Ich habe Anne gerufen, und sie hat es genauso gesehen wie ich. Und ihr könnt die Spuren auch noch anschauen.«

»Ja«, bestätigte Anne. »Man sieht sie genau. Aber davon haben wir Mama nichts gesagt, weil ihr gerade geschrieben hattet, daß ihr für die Ferien zu uns kommen wolltet.«

»Und nun heute . . . Das beweist doch, daß der Mann noch nicht auf seinen Plan verzichtet hat.«

»Still!«

Line stieß sich rasch ab und schwang nach hinten, und Anne schickte sich an, kräftig nachzuhelfen.

Loute kam mit den Kleinen ums Haus.

»Kommt ihr mit an den Strand?« rief sie von weitem.

»Wollen wir baden?«

»Heute nicht. Aber ich will euch die Stelle zeigen, wo ihr ohne Gefahr baden könnt.«


Man mußte um die ganze Überholwerft herum. Es war ein riesiges Gebäude aus rotem Granit, mit Schieferplatten gedeckt. Ein Eckturm verlieh dem Haus ein herrenhaftes Aussehen, obwohl alle wußten, daß dieser Turm nichts anderes war als eine alte Windmühle. Der erste Käufer der Mühle hatte ein Haus an den Turm angebaut. Doch Alter und die Unbilden der Witterung hatten die Gebäude so fest zusammengeschweißt, daß sie jetzt wie eines wirkten.

Die Geschwister durchquerten den Park, der noch Spuren seiner einstigen Pracht aufwies. Doch die Hartriegelhecken, einst sorgfältig geschnitten, waren zu einem richtigen Dickicht geworden. Da war eine Tannenallee, von Unkraut überwuchert, Kamelienbuschgruppen wie kleine Wälder und Tamariskenhecken, die wie ein Dschungel die Umfassungsmauern verdeckten.

Durch diese Mauer führte eine Pforte. Dahinter lagen der Kiefernwald, die Dünen und das tiefblaue Meer, das mit weißen Segeln übersät war.

Der weiße Sand und die Wellenspiegel warfen das Licht der sinkenden Sonne noch hell zurück.

Es badeten nur wenige Menschen. Der eigentliche Strand war weit entfernt, er lag hinter der Landspitze, wo sich Hotels und das Kurhaus befanden. Hier, wo die Küste aus lauter winzigen Buchten bestand, saßen nur einige Familien um vielfarbige Sonnenschirme friedlich versammelt.

Jede Bucht hatte ihre Stammgäste, und man besuchte sich gegenseitig von Bucht zu Bucht.

Die Kaninchenbucht war den Bewohnern der Überholwerft vorbehalten. Ludwig behauptete, daß die Kaninchen, die das Dickicht des Parks bevölkerten, die Sitten genau kannten und niemals andere Buchten aufsuchten. Zeugnis dafür legten die zahllosen Häufchen kleiner brauner Kugeln ab, die ihren Weg über die Dünen bezeichneten.

Gerhard und Genoveva beschlossen auf der Stelle, in der nächsten Nacht bei Vollmond hierherzukommen und den Kaninchen beim Baden zuzusehen.

Heute war es zu spät zum Baden, und außerdem hatte sich das Meer während der Ebbe hinter die Landspitze zurückgezogen, so daß die Bucht fast trocken lag.

Line erkannte sofort, daß diese Stelle ideal für die Kleinen sei. Hier waren sie leicht zu beaufsichtigen. Sie konnten im Wasser planschen, wie es ihnen gefiel, und sogar an den tieferen Stellen die ersten Schwimmstöße versuchen.

Trotzdem gab Loute einen Ratschlag nach dem andern, und Line spürte genau, wie schwer es ihr wurde, die Kinder zu verlassen.

Und sofort dachte sie an ihre Eltern und an den Abschiedsschmerz an diesem Morgen. Es war ja erst einige Stunden her, und doch schien es ihr, als wären Jahre vergangen, seit sie auf dem Bahnhof Montparnasse abgefahren waren. Wie weit Paris entfernt lag! Und Mama! Und Papa!

»Na, mein Kätzchen«, sagte Loute und legte ihr den Arm auf die Schulter, »ein wenig Heimweh? Wird's denn gehen?«

»O nein«, erwiderte Line lebhaft. »Es wird alles sehr gut gehen. Wir freuen uns so, daß wir alle zusammen sind.«

»Tut es dir denn nicht leid, daß du nicht nach Spanien gefahren bist?«

»Aber gar nicht!«

Loute spürte, daß Line die Wahrheit sagte und daß sie gern in der Überholwerft war.

»Das freut mich«, erwiderte sie. »Aber du wirst viel zu tun haben. Du bist die Älteste. Das ist eine große Verantwortung. Hast du keine Angst davor?«

»Ganz und gar nicht!« rief Line lachend. »Weißt du, ich verstehe es schon, mich durchzusetzen, sogar Peter gegenüber.«

Und plötzlich stand das Wort »Angst« vor ihrem Geist, doch in einem völlig andern Sinn, als Loute ihn dem Wort gegeben hatte.

Loute wußte nichts von diesen geheimnisvollen Einbruchsversuchen. Sie kannte die Gefahr nicht, die der Überholwerft drohte, und machte sich nur Sorgen, weil sie die Kinder allein lassen mußte.

Einen Augenblick lang fühlte sich Line versucht, ihr alles zu gestehen. Doch in diesem Fall würde Loute – das stand fest – auf ihre Stellung als Krankenschwester verzichten, und dann hätten sie gar nicht erst herzukommen brauchen.

Was sollte sie tun?

Loute selbst befreite sie aus der Verlegenheit.

»Wer zuerst am Haus ist!« rief Loute plötzlich und stürmte den Hang der Düne hinan.

Sofort sausten alle los; es gab ein verrücktes Wettrennen, Schreie und entrüstete Rufe der Kleinen, die bald weit zurückblieben. Loute nahm sie bei der Hand und lief mit ihnen hinter den vier Großen her. Lachend und lärmend erreichten sie das Haus.

Line, die sich an dem Rennen beteiligt hatte, brach aus einem überwachsenen Weg neben dem Turm hervor. Die Überholwerft lag grau in der Dämmerung und glich mit ihren geschlossenen Fensterläden einem finsteren Gesicht, das nicht sehen wollte.

# Fünftes Kapitel

Der Abend wurde sehr fröhlich, und der quälende Druck, der auf Line gelastet hatte, verflog rasch.

Loute wollte nicht, daß wegen ihrer Abreise Trübsal herrschte. Schließlich fuhr sie ja nicht weit, und die Kinder konnten sich jederzeit mit Hilfe des alten Kurbeltelefons an der Wand im Korridor mit ihr unterhalten.

Es wurde verabredet, daß Anne oder Ludwig jeden Morgen um acht und jeden Abend um zwanzig Uhr Bericht über die Ereignisse des Tages geben sollten.

Während Genoveva und Gerhard den Tisch im Eßzimmer deckten, machten Anne und Line die Schlafzimmer der Jungen und die der Mädchen fertig.

Das Haus hallte von Rufen wider.

»Loute, wo sind die kleinen Löffel?«

»In der linken Schublade!«

Und aus dem Obergeschoß rief Line, über das Treppengeländer gebeugt: »Loute, Anne kann die Kopfkissenbezüge nicht finden.«

»Im Wäscheschrank in der kleinen Kammer, im untersten Fach.«

Ludwig und Peter hatten den Auftrag erhalten, sich um Kikri und die Tauben zu kümmern. Doch in Wirklichkeit zeigte Ludwig Peter die Spuren des Einbruchsversuchs am Salonfenster.

»Mein Gott!« rief Loute plötzlich. »Die Milch! Ludwig, fahr rasch und nimm Peter mit! Und haltet euch nirgends auf. Das Abendessen ist sofort fertig.«

Die beiden Jungen schwangen sich auf die Räder und fuhren hintereinander über die Heidewege.

Sie fuhren um den Hügel, auf dem Carnac in einiger Entfernung vom Meer liegt, nur durch eine Senke mit Salzbecken vom Wasser getrennt.

Die roten und malvenfarbenen Töne des Sonnenuntergangs spiegelten sich in den stillen Wasserflächen. Einige Salzhaufen bildeten weiße Flecke, auf denen Arbeiter mit großen Holzrechen beschäftigt waren.

Peter nahm diese Bilder auf und fand, daß die Salzbecken an Reisfelder erinnerten, die er in seinem Erdkundebuch gesehen hatte.

Aber er war zu sehr an Ludwigs Bericht interessiert, als daß er der Landschaft viel Beachtung geschenkt hätte.

»Wir müssen die Burschen vom Campinggelände beobachten. Vor allem die, die überall herumschnüffeln. Im vorigen Jahr sind mehrere Diebstähle begangen worden. Und alle haben die Touristen vom Campingplatz beschuldigt.«

»Natürlich, die Überholwerft liegt ziemlich einsam. Genau das Richtige für Leute, die was im Schilde führen. Wir können Wachposten mit Ablösung einrichten . . .«

»Ich hatte schon an einen Beobachtungsposten oben auf dem Turm gedacht.«

»Man könnte ihnen auch eine Falle stellen. Alle gemeinsam weggehen und dabei viel Lärm machen; wir könnten zum Beispiel sagen, wir wollten ein Picknick bei La Trinité veranstalten. Und dann kehren du und ich zurück, schleichen uns vorsichtig durch die Heide, und wenn der Kerl kommt, rufen wir die Gendarmerie an. Selbst wenn es ihm dann gelingt auszureißen, haben wir ihn gesehen, und er weiß, daß er entdeckt ist. Er wird in aller Eile sein Zelt abbrechen, und wir sind aus unsern Schwierigkeiten heraus.«

Die beiden Jungen waren den Hang hinaufgefahren und hatten den Rand des Feldes mit den Menhiren an der Straße nach Quiberon erreicht.

Die Sonne war untergegangen. Um diese Stunde waren die geheimnisvollen Steinreihen am eindrucksvollsten.

All diese unbeweglichen Silhouetten, von denen einige an menschliche Gestalten erinnerten, schienen nur auf ein Zeichen zu warten, um sich miteinander in Bewegung zu setzen und – wer weiß? – wieder zu Männern, Frauen, Kindern zu werden . . .

Und da saßen auch schon drei Kinder am Rand des Straßengrabens, und ihre Kleider verschmolzen mit dem Grau des Heidekrauts. Als die beiden Radfahrer näher kamen, erhoben sie sich jäh. Peter zitterte, und selbst Ludwig fuhr zusammen, so daß sein Rad einen Bogen auf der Straße beschrieb.

Die Kinder riefen ihm etwas zu, worauf Ludwig im Weiterfahren antwortete.

»Guten Abend!« schrie Peter aufs Geratewohl zurück, weil er von den gewechselten Worten nicht das geringste verstanden hatte.

Die Kinder riefen noch einmal in ihrem gaumig klingenden Dialekt. Ludwig drehte sich jäh um und warf ihnen mit lauter Stimme eine rasche Antwort zu. Dann umfaßte er den Lenker fester und trat kräftig in die Pedale.

»Rasch! Sie wollen Steine werfen.«

Es kamen keine Steine, dafür aber langgezogene Rufe, auf die irgend jemand in der Ferne Antwort gab.

»Was haben sie denn?« fragte Peter.

»Ich erkläre es dir nachher«, erwiderte Ludwig.

Er spähte scharf die dunkle Straße hinab. Doch er entdeckte nichts als die beiden roten Lampen eines weit vor ihnen am Straßenrand haltenden Wagens in der sinkenden Nacht.

Die Begegnung aber fand viel früher statt. Plötzlich erschienen drei, vier schattenhafte Gestalten auf der Straße und versperrten ihnen den Weg. Diesmal setzte Ludwig die Füße auf die Erde, und Peter tat es ihm nach.

Vor ihnen stand ein Mädchen von etwa zwölf Jahren, von drei kleineren Kindern – Jungen oder Mädchen – umringt, die weit jünger waren.

Die Älteste trat den Radfahrern entschlossen entgegen. Sie war groß und schlank und hatte ein Gesicht mit vorspringenden Backenknochen, die ihr das Aussehen einer Katze verliehen.

Sie warf einen Blick auf Peter, den sie nicht kannte, knurrte etwas vor sich hin und ging auf Ludwig zu.

Nun entspann sich eine leidenschaftliche Auseinandersetzung, an der die Kleineren bisweilen teilzunehmen versuchten. Doch das Mädchen gebot ihnen mit einem kurzen Wort Schweigen und setzte das Gespräch fort, das sie mit kleinen Bewegungen der schmalen Hand unterstrich.

Ludwig erwiderte mehrmals entschieden und bestimmt: »Doch! Doch!« und nickte bekräftigend mit dem Kopf.

Und das Mädchen entgegnete: »Nein! Nein!« Dabei schüttelte sie sehr energisch den Kopf.

Weiter verstand Peter nichts von der Auseinandersetzung. Ludwig beharrte auf irgend etwas, was das

Mädchen bestritt. Ihre Stimme war gleichbleibend, der Ton ernst und nachdrücklich. Es war nicht eigentlich Zorn, sondern eher unbedingte Überzeugung, die aus ihren Worten sprach. Ihre Augen schienen im Eifer der Auseinandersetzung größer geworden zu sein, und bisweilen trat ein hartes Lächeln auf ihre Lippen, von einem verächtlichen Achselzucken begleitet.

Obwohl Peter nichts von dem verstand, was sie sagte, konnte er es nicht verhindern, daß er sie bewunderte; und insgeheim fand er, daß sie im Recht sein müsse.

Nach einer letzten leidenschaftlichen Gebärde kehrte das Mädchen Ludwig jäh den Rücken, drückte die Kleinen an sich und entfernte sich quer durch die Reihe der Steinsäulen.

Ludwig sprang sofort auf sein Rad und trat wütend in die Pedale; dabei stieß er weiter bretonische Ausrufe aus, während Peter, den plötzlich eine unbändige Lust zu lachen ankam, sich vorsichtshalber drei Radlängen hinter ihm hielt.

»Was wollte das Mädchen denn von dir?« fragte er schließlich, als sein Freund sich beruhigt hatte.

»Ach, das ist eine alte Spinne! Die weiß nicht, was sie redet.«

Peter begriff, daß Ludwig nicht über die Sache sprechen wollte.

Line wachte auf. Ihre Augen folgten dem schrägen Strahl, der sich durch das verdunkelte Zimmer zog und eine große rote Blüte auf der Tapete beleuchtete.

Das rote Zimmer, Anne, Ludwig, Loute ... Line besann sich auf alles.

Vorsichtig befreite sie sich aus Genovevas Armen, die neben ihr schlief, zusammengerollt wie eine kleine Katze.

Annes Bett war leer. Nebenan, im Zimmer der Jungen, herrschte Schweigen.

Es mußte schon sehr spät sein. Sie schlich zum Kamin. Die Bronzeuhr, auf der hingestreckt ein schiffbrüchiger Fischer lag, zeigte ein Viertel vor zwölf. Sie mußte vor Jahrhunderten stehengeblieben sein.

In diesem Augenblick vernahm sie Stimmen und das Brummen eines Motors, das sich sofort entfernte. Loute fuhr ab.

Line blieb einen Augenblick unbeweglich mitten im Zimmer stehen. Alle Gedanken vom Abend zuvor schossen ihr wieder durch den Kopf. Die Überholwerft, die Bedrohung, die über dem Haus lastete, die Rolle, die sie selbst spielen mußte ...

Die Tür zum Nachbarzimmer öffnete sich. Peter schob den struppigen Kopf durch den Spalt und war noch ganz verschlafen.

»Wie spät ist es denn? Zuerst mal guten Morgen!«

»Ich weiß es nicht. Vielleicht acht.«

»Ich habe einen Wagen gehört.«

»Das war Loute. Sie ist eben abgefahren.«

»Ob wir aufstehen? Ludwig ist schon aufgestanden.«

»Anne auch. Weck Gerhard nicht! Wir können ja hinuntergehen.«

Die großen Schalen aus braunem Ton standen schon auf dem Tisch im Eßzimmer.

»Warum seid ihr denn schon auf?« rief Anne. »Ihr habt doch Ferien.«

»Ich habe geschlafen wie ein Klotz«, erwiderte Peter. »Und ich fühle mich ganz in Form.«

Er setzte sich an den Tisch, als ob das Frühstück schon aufgetragen wäre.

In diesem Augenblick kam Ludwig ins Zimmer; ihm folgte der Hahn, der von der Schwelle aus alles mit strenger Miene betrachtete.

Peter streckte die Hand nach ihm aus. Der Hahn zog rasch den Kopf zurück und rief: »Kri! Ki! Kri!« wie eine Warnung.

»Ihr müßt euch erst kennenlernen«, sagte Ludwig.

»Zu uns ist er sehr sanft und zutraulich, aber wer ihm nicht behagt, den möchte er am liebsten zerreißen.«

»Und sehr übelnehmerisch ist er! Neulich hat er sich auf den neuen Briefträger gestürzt, weil der ihm nicht guten Morgen gesagt hat, als er über den Hof ging. Er ist ihm auf die Schultern geflogen und hat auf seine Mütze losgehackt. Mama mußte ihn einsperren.«

Doch auf Peter ging Kikri gemessenen Schrittes zu und hob die Pfote ganz hoch, ehe er sie auf die roten Steinplatten setzte.

»Vor allen Dingen beweg dich nicht!« sagte Anne. »Und hab keine Angst!«

»Ich habe doch keine Angst«, erwiderte Peter.

Im gleichen Augenblick sprang der Hahn mit flatternden Flügeln hoch und setzte sich auf Peters Knie, der den Kopf erschrocken zurückzog.

»Kri! Ki! Kri!« machte der Hahn. Aber er blieb sitzen, plötzlich ganz friedlich, und neigte das runde Auge über die Tonschale.

Line lachte schallend. Peter schien sich nicht sehr behaglich zu fühlen.

»Brock ihm Brot in die Schale! Dann ist alles in Ordnung. Bloß streicheln darfst du ihn nicht, das kann er nicht leiden. Sprich nur zu ihm!«

»Na, mein Schöner ... mein Kleiner ... du bist mein lieber Freund, nicht wahr?« schmeichelte Peter mit seiner sanftesten Stimme.

Der Hahn neigte den Kopf nach rechts, nach links, dann machte er sich daran, mit fieberhafter Hast aus der Schale zu picken.

Als die Zwillinge hereinkamen, fuhr er zusammen. Mit einem Flügelschlag sprang er auf den Tisch und stieß einen hallenden Alarmschrei aus.

»Setzt euch rasch!« sagte Anne. »Bewegt euch nicht. Beschäftigt euch auch nicht mit ihm, dann ist alles in Ordnung.«

Wenige Minuten später waren die sechs Kinder um den Tisch versammelt, an dem Kikri den Vorsitz führte. Der Hahn betrachtete ein Kind nach dem andern, als wolle er sich ihre Gesichter genau einprägen. Kaum war die Mahlzeit beendet, als das Telefon schrillte. Es war Loute. Sie benutzte eine ruhige Minute, um sich das Neueste mitteilen zu lassen.

»Alles ist in Ordnung«, sagte Anne. »Wir haben eben gefrühstückt. Kikri ist bei uns auf dem Tisch. Wir haben alle mit gutem Appetit gegessen. Einen Augenblick!«

Anne gab den andern ein Zeichen, und einer nach dem andern kam ans Telefon und sagte Loute guten Tag.

»Nun noch etwas anderes«, sagte Loute.

Anne griff wieder nach dem Hörer. Sie winkte den andern zu schweigen, die nur ihre Antworten hören konnten.

»Ja... gut... verstanden... Sei unbesorgt, wir werden alles so gut vorbereiten, wie wir können... Die Möbel und das Kupfer. Gut. Die Kaminplatte auch, mit dem Feuerbock. Gut... ja... Wir werden sofort damit anfangen. Auf Wiedersehen, Mama, mach dir nur keine Sorgen um uns!«

Anne hängte auf.

»Ist das Don Ameal?« fragte Ludwig.

»Ja. Er kommt heute nachmittag.«

»Don Ameal?« fragte Peter.

»Das ist ein reicher Spanier. Er ist schon mehrmals hier gewesen. Er ist Antiquitätenhändler und interessiert sich deshalb für Möbel und für Gefäße aus Kupfer und Zinn. Immer wieder hat er Mama dringend gebeten, ihm die alten Sachen aus dem Salon zu verkaufen. Mama hat ihn heute morgen in Carnac getroffen. Sie mußte sich entschließen. Er will heute nachmittag kommen, um sich die Sachen zum letztenmal anzusehen. Deshalb hat Mama uns gebeten, alles vorzubereiten.«

»Uns auch?« rief Ludwig. »Ich verstehe nichts von Hauswirtschaft.«

»Was soll denn vorbereitet werden?« fragte Line.

»Das alte geschlossene Himmelbett, das wir jetzt als Bücherschrank benutzen, der Geschirrschrank, die Stühle und all die alten Sachen, die Herrn Ameal interessieren.«

»Gut«, entschied Line. »Anne und ich werden das erledigen, während wir das Mittagessen kochen. Ihr Jungen geht mit den Kleinen zur Kaninchenbucht. Wenn ihr mittags wiederkommt, ist alles fertig.«

»Mama hat ganz recht, den ganzen alten Kram wegzugeben«, sagte Anne eine Weile später. »All die kleinen Säulen sind ja ganz hübsch, aber sie machen eine wahnsinnige Arbeit. Ludwig hat sie mal gezählt. Es sind hundertzweiundsechzig. Und die vielen Schnitzereien, aus denen man den Staub kaum 'rauskriegt!«

Die beiden Mädchen hatten sich Tücher ums Haar gebunden und putzten mit Hingabe die alten Möbel im Salon.

Das Zimmer war feucht und dunkel. Trotz der hohen Fenster kam wegen der dicken Mauern kaum Licht herein. Und dann breiteten die Parkbäume ihre Zweige davor aus und schirmten das Sonnenlicht ab. Das gebohnerte Parkett knarrte bei jedem Tritt, und in einer Ecke fehlte schon ein Stück. Auch andere drohten sich zu lösen; deshalb waren dort ein Sessel und zwei Stühle hingestellt worden, auf die sich nie jemand setzte.

Ludwig hatte die gefährlichen Stellen die Schlangengrube getauft. Er behauptete, daß es unter dem Parkett von Nattern wimmelte.

In der gegenüberliegenden Ecke hatte sich die dunkelrote Papiertapete stellenweise gelöst und warf Beulen. Sie wurde nur noch von den an der Wand befestigten Tellern und von ein paar kleinen Bildern in Rahmen, die ihr Gold fast verloren hatten, gehalten. Was auf den Bildern dargestellt war, ließ sich kaum noch erkennen.

»Hoffentlich zahlt Herr Ameal einen guten Preis«, sagte Anne seufzend. »Damit wäre Mama geholfen.«

Line erwiderte darauf nichts. Sie fühlte sich sehr traurig. Der ganze alte Kram, wie ihn Anne nannte, sollte also weggegeben werden. Die Möbel, die Kupfergefäße, die Feuerböcke des Kamins und sogar die Kaminplatte, die eine große strahlende Sonne darstellte. Sie mußte herausgebrochen werden. Dann blieb an dieser Stelle ein großes Loch, und das ganze Zimmer würde kahl und verlassen wirken.

»Was wollt ihr denn nachher hier hineinstellen?« fragte sie.

Anne zuckte die Achseln.

»Sicher gar nichts. Wir schließen die Tür zu, und damit ist es erledigt . . . bis zum nächsten.«

»Bis zu was für einem nächsten?«

»Bis zum nächsten Zimmer, das wir verkaufen müssen. Und so fort, bis das ganze Haus weggegeben wird.«

Und plötzlich begriff Line, daß ihre Freundin vor Kummer außer sich war. Zuerst hatte sie versucht, mit einem Scherz darüber hinwegzutäuschen, doch jetzt verließ sie die Beherrschung: sie war den Tränen nah.

›Wenn nicht sofort was geschieht‹, dachte Line, ›fange ich auch gleich an zu heulen.‹ Und das verabscheute sie. Bei ihr verwandelte sich der Kummer in Tatkraft. Wenn sich alles gegen sie verschwor, dann wuchsen ihre Kräfte, und statt klein beizugeben, wurde sie immer beherzter und setzte ihre ganze Energie ein.

»Und kann man da gar nichts machen?« rief sie.

»Doch! Geld beschaffen. Mama hat die Stellung in Vannes angenommen, und Ludwig und ich müssen versuchen, etwas zu unternehmen, ohne daß sie es erfährt; aber es klappt nicht.«

»Was denn?«

»Du weißt doch, die Kinder, die den Autofahrern Legenden erzählen . . .«

»Ihr wolltet betteln?« rief Line voller Entsetzen. »Ihr wollt die Hand hinhalten, während ihr Geschichten erzählt?«

Nun war es um Annes Fassung geschehen! Sie schluchzte. Und sie schluchzte nicht nur, sondern sie erklärte außerdem weinend, daß sie nicht einmal das tun könnten, weil sich die Kinder, die die Touristen ansprächen, gegen sie verbündet hätten und behaupteten, sie hätten nicht das Recht, sich ihrem Trupp anzuschließen.

»Sie sagen, wir wären reich, stell dir das vor! Die Überholwerft mit ihrem Park sei ein Schloß, sagen sie. Und wenn man in einem Schloß wohnt . . .«

»Kann man den armen Kindern natürlich keine Konkurrenz machen.«

»Gestern abend haben sie Ludwig angedroht, mit Steinen zu werfen, wenn wir uns auf der Straße zeigten.«

»Nun, das ist doch ganz einfach«, erwiderte Line. »Ihr werdet nicht auf die Straße gehen. Wir werden etwas anderes finden.«

Sie wußte nicht, was, aber wenn es so schlecht um die Überholwerft stand, dann mußte man eben eine Lösung finden. Und man würde sie finden!

In dem Augenblick hörte man etwas wie einen kräftigen Platzregen auf dem Hof.

Doch es war kein Regen. Es waren Genoveva und Gerhard, die im Galopp angerast kamen, so daß der Kies unter ihren Sandalen wegspritzte.

# Sechstes Kapitel

»Auf dem Feld nebenan sind zwei Männer. Peter hat gesagt, wir sollen euch verständigen.«

»Männer? Was für Männer? Landstreicher?«

»Das weiß ich nicht. Welche mit Bart. Sie suchen eine Stelle zum Schlafen.«

»Es sind Campingleute«, sagte Gerhard. »Sie haben ganz große Säcke auf ihren Mopeds.«

Line und Anne tauschten einen raschen Blick aus.

»Haben sie mit euch gesprochen?« fragte Line.

»Sie haben mit Ludwig gesprochen. Sie haben ihn gefragt, ob sie im Park zelten dürfen.«

»Ludwig hat nein gesagt. Das sei Privatbesitz, und sie müßten aufs Campinggelände gehen.«

»Sie haben geantwortet, dorthin wollten sie nicht, und sie blieben da.«

»Im Park?«

»Nein. Auf dem Feld nebenan.«

»Ludwig hat gesagt, ihr sollt die Türen zuschließen. Rasch!«

»Warum denn die Türen verschließen?« rief Line. »Was ist denn das für eine Idee? Was schadet denn das, wenn Leute auf dem Feld nebenan zelten? Es sind doch keine Diebe!«

»Doch. Ludwig hat gesagt, es sind vielleicht welche.«

»Diese Dummköpfe!« stieß Line zwischen den Zähnen hervor und tat, während Anne sich aus dem Fenster beugte, ihr möglichstes, um die Zwillinge zu beruhigen.

»Ludwig und Peter haben sich einen Spaß daraus gemacht, euch Angst einzujagen. Kommt, helft mir jetzt beim Tischdecken. Genoveva, hol du die Teller. Und du, Gerhard, füllst die Wasserkaraffe. Aber laß das Wasser erst eine Weile ablaufen, damit es schön kalt ist!«

»Sie kommen!« rief Anne plötzlich.

»Die Diebe?«

»Aber nein, ihr Äffchen, Peter und Ludwig.«

Bei seinem Eintritt in die Küche schritt Peter entschlossen auf den Kamin zu und nahm den alten Vorderlader von der Wand, der seit Jahren dort hing.

»Hast du ein Kaninchen gesehen?« rief Line und zwinkerte ihrem Bruder dabei heimlich zu.

Der verstand die Warnung.

»Ja«, erwiderte er, »ich glaube sogar, daß es ein Hase ist. So groß war er!«

»Hast du Patronen?« fragte Gerhard.

»Ludwig sucht sie gerade. Bleibt du, ich will sehen, ob . . .«

»Das ist ja gar nicht für einen Hasen! Das ist ja nur, um den Dieben Angst zu machen!« rief Genoveva kichernd. »Das weiß ich doch! Ihr könnt mir nichts erzählen.«

Peter ergriff ihre Partei. Schließlich war es besser, daß alle im Bilde waren.

»Line bildet sich ein, dann hättet ihr Angst«, sagte er.

»Ich habe doch keine Angst!« rief Genoveva.

»Und ich erst recht nicht«, setzte Gerhard sofort hinzu.

»Das begreift ihr doch«, erklärte Peter, »wenn diese Burschen böse Absichten haben sollten, wagen sie sich bestimmt nicht näher, wenn sie sehen, daß wir ein Gewehr haben. Deshalb werde ich jetzt mal zu ihnen hinübergehen. Kommst du mit, Ludwig? Patronen brauchen wir nicht.«

Er zog den Gürtel hoch, legte das Gewehr über die Schulter und ging hinaus.

Wenige Augenblicke später kamen die beiden Jungen zurück.

»Sie sind weg«, sagte Ludwig, »aber sie haben hinter der Hecke ein Zelt aufgeschlagen. Sie kommen also wieder.«

»Das sind sicher nur harmlose Urlauber, denen es auf Campingplätzen nicht gefällt«, entgegnete Line. Dann bat sie alle zu Tisch.

Sie waren mitten beim Essen, als es an die Tür klopfte. Alle fuhren zusammen. Line ging in den Hausflur hinaus.

»Guten Tag, Fräulein«, sagte eine tiefe, freundliche Stimme.

»Der Briefträger!« rief Ludwig. »Kommen Sie doch herein, Jan!«

Der Briefträger trat ins Zimmer.

»Guten Tag, alle zusammen!« rief er und nahm die Mütze ab. »Das ist aber warm, meine Güte!«

Er war dick, und der Schweiß lief ihm über das gerötete Gesicht. Er händigte Anne die Post aus, und sie sah sie rasch durch.

»Die Zeitung. Werbedrucksachen! Nichts Interessantes. Möchten Sie etwas zu trinken, Jan?«

»Vielen Dank, Fräulein Anne. Sie sind sehr freundlich. Aber je mehr man trinkt, desto durstiger wird man. Es hilft nichts. Dann aufs nächste Mal. Weiter guten Appetit!«

»Auf Wiedersehen, Jan!«

An der Tür drehte sich der Briefträger noch einmal um.

»Haben Sie vielleicht einen Hund, von dem ich nichts weiß?«

»Aber Jan! Wir haben nie einen Hund gehabt, das wissen Sie doch.«

»Das habe ich ja auch gleich gesagt! Aber da sind zwei Burschen, die haben mich eben gefragt, ob der große rote Hund, der um ihr Zelt streunt, vielleicht Ihnen gehört.«

»Das Zelt, das auf dem Nachbarfeld steht?«

»Wahrscheinlich. Ich habe die beiden unten an der Düne getroffen. Sie sahen gar nicht vertrauenerweckend aus, gar nicht! Sie müßten viel öfter zum Friseur gehen.«

»Und was wollten sie wegen des Hundes?«

»Daß er angebunden wird. Als ob die Fremden hier nun auch schon Vorschriften machen könnten! Die komischsten Sachen gibt's heutzutage.«

Als der Briefträger gegangen war, blieb es eine Weile still am Tisch. Die Kinder sahen sich schweigend an.

»Was hat diese Hundegeschichte zu bedeuten?« murmelte Ludwig.

»Die Kerle lügen, um die Wahrheit zu erfahren«, erwiderte Peter. »Sie haben überhaupt keinen Hund gesehen. Sie wollen bloß wissen, ob es in der Überholwerft einen Hund gibt. Auskundschaften, weiter nichts!«

»Aber weshalb?« fragte Anne.

»Weshalb? Nun wissen sie, daß es hier keinen Hund gibt. Deshalb.«

»Ach was!« sagte Line, um die Atmosphäre zu entspannen. »Schließlich wissen wir gar nicht, ob diese

Leute nicht doch die Wahrheit gesagt haben. Es kann ein Hund an ihrem Zelt gewesen sein, und weil sie verärgert waren...«

»Warum waren sie verärgert?«

»Weil Ludwig ihnen den Zutritt zum Park verwehrt hat.«

Ja, das konnte sein. Aber trotzdem waren diese beiden Burschen verdächtig, wenn man die Ereignisse der vergangenen Tage berücksichtigte.

»Zerbrechen wir uns nicht den Kopf«, schloß Peter. »Heute abend verbarrikadieren wir alle Türen, und dann werden wir ja sehen, was geschieht.«

»Und wenn sie näher kommen, machst du mit deinem Gewehr päng, päng, päng!« rief Gerhard hoffnungsvoll. Diese Ferien versprachen wirklich spannend zu werden.

Line teilte freilich diese Ansicht ganz und gar nicht. Tief in ihrem Innern war sie sehr beunruhigt.

›Das sicherste wäre es, die Gendarmerie anzurufen‹, dachte sie, und nahm sich vor, diese Zeltbewohner genauer aufs Korn zu nehmen und dann die Polizei zu verständigen, falls sie nach ihrem Verhalten gefährlich sein könnten.

Don Ameal Gonzalez traf im Lauf des Nachmittags ein. Die Kinder erwarteten ihn vor der Haustüre.

Der Wagen hielt, und sofort sprang ihnen aus dem geöffneten Schlag ein großer schwarzer Hund entgegen.

Die Kleinen schrien ängstlich auf, Anne und Ludwig riefen fröhlich: »Sidi! Sidi!«

Sidi kümmerte sich jedoch weder um die ängstlichen noch um die erfreuten Rufe. Er lief von einem Kind zum andern und leckte sie alle in überschwenglicher Zuneigung. Bald schnupperte er an ihren Schuhen, bald sprang er an ihnen hoch und legte ihnen die Vorderpfoten auf die Schultern, so daß die Kinder Mühe hatten, sich seiner wilden Freundschaftsbeteuerungen zu erwehren.

Schließlich stieg auch Don Ameal aus dem Wagen und rief energisch:

»Quieto, Sidi!«

Sidi, der gerade dabei war, Gerhard sorgfältig von oben bis unten abzulecken, lief auf seinen Herrn zu, als erwarte er von ihm einen neuen, ebenso dringenden Auftrag.

»Was für ein prächtiger Hund!« rief Line.

»Es ist ein Marokkaner«, sagte Don Ameal. »Ich habe ihn aus Ifni mitgebracht. Er ist ganz jung, wissen Sie.«

»Ist er nicht bissig?«

»Freunden gegenüber ist er ganz ungefährlich. Aber wenn er kämpft, ist er furchtbar. Furchtbar!«

Don Ameal ließ die R gefährlich rollen, und die Augen hinter der goldgefaßten Brille schossen Blitze.

Er war klein und rundlich, mit sehr braunem Gesicht und schönem schneeweißem Haar. Seine Bewegungen waren lebhaft und sein Verhalten entschieden.

»Quieto, Sidi!«

Sidi spielte mit der Hand seines Herrn, die er, zusammen mit einem ganzen Stück des Jackenärmels, in die Schnauze genommen hatte.

Es war eine schöne Jacke aus sehr gutem Stoff mit Hahnentrittmuster, in die der Hund seine scharfen Zähne grub. Line schauderte.

»Er wird Sie beißen!« rief sie.

»Keine Gefahr. Sie brauchen sich nicht zu fürchten, mein Fräulein. Er beißt nicht. Quieto, Sidi, sentado!«
Und der Hund setzte sich, die gelben Augen auf seinen Herrn gerichtet.
Währenddessen betrachtete Don Ameal seine Gesprächspartner.
»Das sind also die Pariser!«
Seine lebhaften Augen gingen von einem der Kinder zum andern. Die Prüfung schien ihn zufriedenzustellen.
»Nun, meine Kinder, eure Mama hat mir gesagt . . .«
»Es ist alles bereit«, erwiderte Anne. »Mama hat mir eine Liste gegeben. Wir können gleich in den Salon gehen.«

Es dauerte ziemlich lange. Don Ameal prüfte genau jedes Möbelstück und die andern Gegenstände, stellte eine Liste davon auf, überlegte einige Sekunden und notierte dann bei jedem Stück den Preis, den er Loute bieten wollte.
Nach einer Weile gingen die Jungen hinaus, um auf dem Hof mit Sidi zu spielen.
Nur Anne und Line blieben bei Don Ameal im Salon.
Dieser schien sich vor allem für die Möbel zu interessieren, besonders für den Geschirrschrank, der auf der Anrichte stand und als Bücherregal diente.
Als er alles genau betrachtet hatte, schob er die Brille auf die Stirn und fing an zu rechnen.
»Rund dreitausendfünfhundert. Das ruiniert mich ja.«
Line erschien dieser Betrag ungeheuer, doch Anne schien nicht der Ansicht zu sein.
»Mama hat mehr erwartet«, sagte sie.
»Teufel!« murmelte Don Ameal.

Er rechnete noch einmal.

»Dreitausendfünfhundert . . . Und mit wieviel hatte Ihre Frau Mama gerechnet?«

»Mindestens viertausend! Soviel hat das Dach gekostet.«

Don Ameal überlegte einige Augenblicke, untersuchte noch einmal die Kaminplatte und kratzte mit dem Fingernagel ein paar verrußte Roststellen von dem Reliefbild.

»All das wird beim Verzinnen verschwinden«, sagte er. »Schade!«

Damit klappte er das Notizbuch zu und schob es in die Tasche.

»Es wird Mama sehr leid tun.«

Don Ameal schritt schon zur Tür. Plötzlich drehte er sich wieder um und betrachtete noch einmal die Gegenstände, die er untersucht hatte. Er zog seinen Block abermals heraus, hakte etwas auf der Liste ab, rechnete noch einmal, hob die Augen zur Decke und nahm in diesem Augenblick die Teller und die beiden kleinen Bilder in den vergoldeten Rahmen an den Wänden wahr.

»Gut«, sagte er achselzuckend, »nehmen wir diese kleinen Dinge noch dazu und sagen wir viertausend! Dann habe ich das ganze Zimmer, und Ihre Mama kann zufrieden sein.«

Line hätte fast in die Hände geklatscht. Anne lächelte auch, doch ein wenig betreten.

»Ja«, sagte sie, »aber Mama hat die Teller und die Bilder nicht auf die Liste gesetzt. Warten Sie bitte einen Augenblick. Ich rufe sie rasch an.«

Sie lief in den Hausflur und drehte die Telefonkurbel. Auf dem Hof spielten die Jungen noch mit dem Hund.

»Apport, Sidi, apport!«

Man hörte, wie der Kies unter den raschen Schritten knirschte, das Bellen des Hundes und das Schreien der Kinder.

Don Ameal trat im Salon auf die Stelle, wo das Parkett quietschte.

Line sagte nichts. Sie hatte das Gefühl, daß der alte Herr gekränkt sei, und das war ihr peinlich.

In diesem Augenblick kam Anne zurück.

»Es tut mir schrecklich leid«, sagte sie. »Mama erklärt, es könne nicht die Rede davon sein, daß sie die Teller und die Bilder verkauft. Sie meint, sie seien ohne Wert und könnten Sie nicht interessieren.«

»Doch«, erwiderte er, »sie interessieren mich . . .«

»Sie sind sehr freundlich, Don Ameal. Aber Mama möchte in keinem Fall . . .«

Anne standen schon die Tränen in den Augen.

Der Händler klopfte ihr auf die Schulter. »Nun, lassen Sie nur! Ich spreche noch mit Ihrer Mama. Wir werden uns schon einig werden.«

»Nein«, sagte Anne eine Weile später, »das mußt du doch verstehen: Mama verzichtet darauf, daß man ihr Almosen anbietet. Das mochte ich Don Ameal nicht sagen, aber wir sind ja schließlich noch nicht am Bettelstab. Das hat mir Mama eben erklärt. Es war ihr gar nicht recht.«

# Siebtes Kapitel

Die Diskussion entbrannte ein wenig später noch einmal.

Die Kinder waren geteilter Ansicht. Ludwig und Peter behaupteten, Loute habe unrecht getan, das Angebot von Don Ameal abzulehnen. Anne verteidigte ihre Mutter leidenschaftlich.

»Weil er reich ist, bildet er sich ein, er könne alles kaufen.«

Line meinte, Anne sei ungerecht. Don Ameal hatte sich freundlich und taktvoll verhalten. Nicht eine Sekunde hatte er mit seinem Reichtum geprahlt. Im Gegenteil, er hatte ausdrücklich einen Vorwand gesucht, um den angebotenen Betrag zu erhöhen. Es war ganz offensichtlich, daß ihn weder die alten Teller noch die kleinen Bilder interessierten.

»Wenn ihr sie nicht verkaufen wollt, braucht ihr sie ihm doch bloß zu schenken«, rief Gerhard plötzlich. »Dann sind alle befriedigt.«

»Das ist tatsächlich das einfachste. Du hast die beste Lösung gefunden. Donnerwetter, Gerhard, du bist ein As!«

Peter drückte seinem Bruder kräftig die Hand, und die ganze Gesellschaft lachte fröhlich.

Mittlerweile war es zu spät geworden, noch zur Kaninchenbucht zu gehen. Es wurde bereits dunkel. Line erklärte, sie müsse jetzt Abendbrot machen, und jemand solle sich um Kikri kümmern.

Armer Kikri! Gleich nach dem Mittagessen hatte man

ihn wegen des bevorstehenden Besuchs von Don Ameal ins Hühnerhaus gesperrt. Die Anwesenheit eines Fremden und gar noch eines Hundes hätte sonst zur Katastrophe führen können.

Die Kinder befreiten den Hahn, der flügelschlagend aus seinem Gefängnis kam.

Er mußte ganz steif geworden sein. Nun stieß er zwei, drei schallende Kikerikirufe aus und stolzierte seinen Herren voran ins Haus.

»Die Milch!« rief Anne plötzlich.

Peter und Ludwig sprangen auf die Fahrräder und sausten die Allee hinunter.

Sie waren kaum fünf Minuten weg, als es an die Haustür klopfte.

Die Zwillinge, die in den Hausflur gestürmt waren, flüchteten eilends wieder in die Küche zurück.

»Die Männer vom Zelt, die Männer vom Zelt!«

»Guten Abend, meine Damen!«

Zwei junge Leute standen auf der Haustürschwelle, und jeder hatte einen dieser Kupferbehälter in der Hand, die von allen Campingfahrern als Eimer benutzt wurden.

»Entschuldigen Sie, bitte, daß wir Sie stören. Könnten Sie uns vielleicht etwas Wasser geben? Wir haben nirgends eine Pumpe gefunden.«

»Natürlich«, erwiderte Line. »Da ist der Hahn.«

Im gleichen Augenblick knipste sie, und die Lampe strahlte auf.

»Das war doch nicht nötig.«

In der Helligkeit der Lampe wirkten die beiden Individuen noch weniger einnehmend. Bärtig, langhaarig, die Haut von der Sonne gerötet. Und was für Verbrechergesichter!

In diesem Augenblick gab es einen fürchterlichen Lärm im Treppenhaus, und ein Wirbel stürzte sich in die Küche.

»Kikri!« rief Anne.

Doch Kikri war bereits einem der Männer auf den Rücken gesprungen, der sich schreiend wehrte.

Mit Mühe und Not gelang es Anne, den Hahn einzufangen. Sie drückte ihn in die Arme und versuchte ihn zu beruhigen. Doch das Tier erstickte fast vor Wut und krähte lärmend.

»Du liebe Zeit!« rief der Zeltbewohner und rieb sich den Nacken. »So eine Aufregung!«

»Hat er Sie verletzt?«

»Nein, aber er hat mir einen verdammten Schrecken eingejagt.«

Da brach der andere in schallendes Gelächter aus.

»Zum Teufel, wo kommt denn dieses Vieh her?«

»Er muß ins Obergeschoß hinaufgestiegen sein. Und als er die Herren bemerkte . . .«

»Nun, da haben Sie ja einen tüchtigen Wächter. So was habe ich noch nicht erlebt.«

Kikri zappelte in Annes Armen.

»Wir wollen lieber gehen. Unsere Anwesenheit reizt ihn.«

Die beiden Männer entfernten sich und nahmen ihre Kupfergefäße mit, aus denen das Wasser auf den Boden tropfte.

Sie entschuldigten sich noch einmal wegen der Störung und verschwanden im Park.

Die Kinder waren plötzlich sehr schweigsam und blickten ihnen nach.

»Sie gehen durch eine Bresche in der Mauer«, sagte Anne. »Nichts ist bei uns heil und sicher!«

»Was soll dieses Theater?« rief Ludwig eine Weile später. »Neben dem Hof von Jaouen gibt es doch eine Pumpe! Das sind keine hundert Meter. Das Wasser war nichts als ein Vorwand. Die Kerle wollten sich nur das Haus mal von nahem ansehen.«

Die Kinder überlegten schweigend.

Schließlich sagte Line: »Was sie auch vorgehabt haben mögen, ich glaube nicht, daß sie es wagen. Kikri hat ihnen ganz schöne Angst eingejagt.«

»Hm«, machte Peter. »So sicher ist das noch nicht. Auf alle Fälle wollen wir Vorsichtsmaßnahmen treffen.«

Die Nacht sank hernieder. Mit Sonnenuntergang hatte der Seewind eingesetzt. Die Bäume im Park bogen sich. Es war gut, im Haus zu sein.

Line hatte vorgeschlagen, in der Küche zu essen, die groß und praktischer war als das Eßzimmer, weil sie einen Fliesenfußboden und kräftige Stühle hatte.

Ihr wäre es recht gewesen, wenn man nicht mehr von den Männern im Zelt gesprochen hätte. Doch immer wieder kam einer darauf zurück.

»Sie sind sehr höflich gewesen«, sagte Anne. »Ich glaube nicht . . .«

»Doch, der Kleinere hat sich überall umgesehen. Das habe ich genau gemerkt«, rief Gerhard.

So ging die Geschichte von neuem los.

»Nach dem Essen werden Ludwig und ich eine Runde machen«, sagte Peter.

»Nein, nein!« rief Anne. »Ihr dürft das Haus nicht verlassen!«

»Nur einen Gang durch den Park. Und dann werden wir die Türen verrammeln.«

»Wir behalten Kikri bei uns.«

»Wo ist er übrigens jetzt?«

Kikri, den Anne losgelassen hatte, als die Fremden verschwanden, war weg.

Schließlich fand man ihn im Salon, wo er in einem Regal des Geschirrschranks saß, die Federn aufgeplustert und schon halb im Schlaf.

Während die Mädchen die Küche aufräumten, machten Peter und Ludwig ihre Runde, und Gerhard stand in der Haustür, um die Verbindung zu halten. Er war begeistert über die Wendung, die die Ereignisse genommen hatten, und wünschte sich von ganzem Herzen, daß das Abenteuer weitergehen und noch dramatischer werden möge.

Die Nacht war dunkel. Das Licht von der Haustür fiel in einem hellen Viereck auf den Kies des Hofes, doch schon die nächsten Büsche lagen im Finstern. Dahinter die tiefen Schatten der Bäume, die im Seewind rauschten.

Die Arme auf der Brust verschränkt, blickte Gerhard mit einer Art Herausforderung in die Nacht hinaus. Er dachte: ›Ich bin ein Posten, der die Zugbrücke des Forts bewacht. Die Indianer werden angreifen.‹ Und er fühlte, wie ihm das Herz schwoll.

Das plötzliche Auftauchen der Patrouille ließ ihn zusammenfahren.

»Halt! Wer da?«

»Sei doch still, du Schafskopf!«

Ludwig drehte den Schlüssel zweimal im Schloß um.

»Das Zelt ist noch da«, sagte Peter. »Die Kerle schlafen oder tun wenigstens so, als ob sie schliefen. Wir werden alle Türen und Fenster verrammeln, und dann legt ihr euch ins Bett. Ich werde wachen.«

»Ich bleib' bei dir«, rief Ludwig.

»Ich auch«, stimmte Gerhard sofort ein.

»Nein«, erklärte Line. »Anne und ich werden als erste wachen. Wir müssen noch Wäsche waschen. Die Gelegenheit können wir gut ausnutzen. Ihr Jungen legt euch jetzt hin und löst uns um Mitternacht ab.«

»Ich bleib' bei euch«, rief Genoveva.

»Meinetwegen.«

Diese vernünftige Lösung überzeugte alle. Peter und Ludwig machten die Fensterläden fest, verbarrikadierten alle Türen und gingen zum Schlafen hinauf, von Gerhard gefolgt, der darauf bestand, daß man ihn mit den beiden Großen wecken solle.

Als die Mädchen allein waren, fingen sie an zu kichern.

»Glaubst du an diese Diebstahlsgeschichte?« fragte Anne.

»Eigentlich nicht. Die Jungen haben sich das in den Kopf gesetzt.«

»Und du hast doch diese Burschen aus dem Zelt gesehen. Sie waren so höflich. Sie lachten dauernd. Sie sahen ganz und gar nicht wie Diebe aus.«

Line fand das eigentlich auch. Aber schließlich hatte doch zweimal jemand versucht einzubrechen.

»Leute, die klauen wollen, gibt es überall. Vorige Woche ist die Wäsche aus dem Garten der Zollbeamten gestohlen worden. Da hat man gesagt, es seien Zigeuner gewesen. Hier könnten es ebensogut Zigeuner gewesen sein, die geglaubt haben, das Haus sei leer.«

»Vielleicht«, erwiderte Line.

Sie wußte es nicht. Sie wußte gar nichts mehr. Ihr war, als lebe sie bereits seit Jahren in der Überholwerft, und all diese Diebesgeschichten seien ein Spiel, das schon aus der Zeit stammte, als sie und Anne noch ganz kleine Mädchen waren.

Während die beiden Großen sich am Spülstein zu schaffen machten, war Genoveva am Tisch, den Kopf auf die verschränkten Arme gelegt, eingeschlafen.

Auch Anne gähnte, und Line fühlte sich ganz zerschlagen.

Die Wäsche war fertig, gespült, ausgewrungen und zum Abtropfen über den Ausguß gehängt. Dort sollte sie auf die Sonne und den Wind des nächsten Tages warten.

Doch es war kaum elf. Was sollten sie nun tun?

»Wir gehen schlafen«, sagte Anne. »Ich stelle den Wecker auf Mitternacht.«

Der Wecker läutete eine gute Minute, doch in der Überholwerft hörte ihn kein Mensch.

Das Ereignis spielte sich gegen drei Uhr morgens ab. Ein plötzlicher Lärm und Kikris wütendes Krähen schreckte Line auf. Sie fuhr hoch. Anne stieß einen Schrei aus. Schon öffnete sich die Kammertür, in der die Jungen erschienen.

»Habt ihr das gehört?«

Man vernahm noch das ärgerliche Glucksen Kikris aus dem Erdgeschoß.

»Vielleicht hat er einen Alptraum gehabt«, sagte Anne, die am ganzen Körper zitterte.

»Wir sehen nach.«

Peter und Ludwig, die sich nicht ausgezogen hatten, liefen als erste hinunter. Line hörte ihre Rufe und raste ihnen nach, von Anne im Morgenrock gefolgt.

Was sie sofort sah, war das offene Fenster, dessen Vorhänge im nächtlichen Wind flatterten. Dann Kikri, der mit großen Schritten durch die Mitte des Zimmers lief, die Halskrause gesträubt, den Schnabel bereit, zuzuhacken. Von Zeit zu Zeit stieß er einen Alarmschrei aus, wie es die Hähne tun, wenn sie spüren, daß dem Hof Gefahr droht.

Schon beugten sich Peter und Ludwig aus dem Fenster.

»Sie haben einen Laden aus den Angeln gerissen. Dort liegt er, auf der Erde.«

»Und was ist das da, an der Mauer?«

»Eine Fensterscheibe.«

Peter untersuchte die Fensterrahmen.

»Sie haben die Scheiben herausgeschnitten, um das Fenster zu öffnen.«

In diesem Augenblick erschien Gerhard im Schlafanzug, die Haare hingen ihm wirr in die Stirn.

»Sind sie gekommen?« fragte er.

In seiner Stimme klang tiefe Enttäuschung.

Inzwischen ging Anne durch den Salon und untersuchte jedes Stück.

»Sie haben nichts mitgenommen!« sagte sie nach einer Weile. »Es fehlt nichts.«

»Sie haben keine Zeit gehabt«, entgegnete Ludwig. »Kikri muß sie überrascht haben.«

Kikri, der sich beruhigt hatte, lief hin und her und blieb bisweilen stehen, um sich den Schnabel mit dem Fuß zu kratzen.

Endlich sprang er mit flatternden Flügeln auf die Anrichte und von dort auf seinen Platz im Geschirrschrank, genau an die Stelle, wo er am Abend gesessen hatte, links in dem Fach, das ihm als Schlafquartier diente.

»Line«, rief Peter plötzlich, »warum hast du uns denn nicht geweckt? Wenn wir dagewesen wären, hätte nichts passieren können.«

»Ich hatte den Wecker auf Mitternacht gestellt«, sagte Anne, »aber wir haben ihn nicht gehört.«

»So sind die Mädchen!« erwiderte Peter. »Man kann sich nie auf sie verlassen.«

»Jetzt ist wohl nicht die Zeit zu streiten«, sagte Line. »Wir wollen lieber die Gendarmerie anrufen.«

»Nein!« erwiderte Anne entschieden. »Wenn wir die Gendarmerie rufen, steht morgen alles in den Zeitungen, und Mama gibt ihre Stellung in der Klinik auf und kommt sofort hierher. Schließlich haben die Einbrecher ja nichts weggenommen. Es ist nichts gestohlen.«

»Weißt du das genau? Sieh noch mal richtig nach!« sagte Peter.

»Das ist ganz einfach. Hier habe ich die Liste, sie liegt noch auf dem Leuchtertisch.«

Und tatsächlich fehlte kein einziges Stück von den auf der Liste aufgeführten Gegenständen, und auch die Teller an der Wand waren noch alle da, ebenso die beiden kleinen Bilder zu beiden Seiten des Geschirrschranks.

# Achtes Kapitel

Vom Kirchturm in Carnac läutete es vier.

Der Himmel über den Bäumen wurde blaß. Noch eine Weile, und es war heller Tag.

Die Kinder standen unschlüssig vor dem beschädigten Fenster. Wer weiß, vielleicht hatten sich die Einbrecher im Schatten versteckt, keine zehn Schritte vom Haus?

Peter schloß das Fenster. Um den Fensterladen konnte er sich später kümmern.

»Es müßten Fingerabdrücke dasein«, sagte Ludwig.

»Wollen wir sie nicht in ihrem Zelt überfallen?« schlug Gerhard vor.

Niemand antwortete ihm. Alle dachten an die beiden Männer im Zelt, aber die Vorstellung, den Schutz des Hauses zu verlassen, erschien keinem angenehm.

So schwiegen sie.

Nach einer Weile suchte Peter nach Fußspuren auf dem Parkett.

Line überlegte. Irgend etwas stimmte nicht an dieser Geschichte. Sie wußte nicht, was es war, aber sie spürte, daß eine ganz einfache Erklärung alles verständlich machen mußte. Die Erklärung würde so einfach sein, daß es ihnen allen wie Schuppen von den Augen fallen mußte. Und doch kam niemand darauf!

Ihr Blick lief durch den ganzen Salon, blieb auf jedem Gegenstand haften, wanderte zum Fenster und kehrte zu Kikri zurück, der immer noch in dem Geschirrschrank saß.

»Wenn Kikri reden könnte!«

Die Jungen hockten auf allen vieren und untersuchten den Fußboden Zoll für Zoll.

»Wenn Spuren da waren«, bemerkte Anne, »habt ihr sie längst weggewischt.«

»Das stimmt«, erwiderte Peter und erhob sich. »Wir sind Esel.«


Kaffeeduft, Geruch von geröstetem Weißbrot, sahnige Milch, die Sonne und der Gesang der Vögel: ein Morgen wie alle anderen in der Überholwerft.

Die Jungen hatten ihre Gelassenheit wiedergewonnen und zogen auf Kundschaft hinaus in den Park. Die Männer und das Zelt waren verschwunden. Natürlich!

Das Gras ein wenig plattgedrückt, die Löcher der vier Zeltpflöcke, das war alles.

Die andern waren auch herausgekommen. Ebensowenig fand sich vor dem Fenster. Der mit Kies bedeckte Boden nahm keine Abdrücke an.


Der abgerissene Fensterladen lag neben der an die Mauer gestellten Scheibe.

Peter untersuchte das Glas. Es war mit einem gewöhnlichen Glaserdiamanten viereckig herausgeschnitten und dabei gewiß mit einer kräftigen Sauggummischeibe gehalten worden. Nichts war leichter als das!

Die beiden Jungen hängten den Fensterladen wieder ein. Er drehte sich geräuschlos in den Angeln. Ein kräftiger Haken befestigte ihn an dem zweiten Laden. Aber eine starke Messerklinge genügte, ihn aus den Angeln zu heben.

In dem Punkt war alles klar.

Kikri lief in der Küche umher. Er hatte keinen großen Hunger und wirkte matt. Immer wieder rieb er den Schnabel auf dem Boden, bald die eine, bald die andere Seite.

»Kein Wunder! Er hat schlecht geschlafen.«

Genoveva, die endlich aufgestanden war, behauptete, sie habe ihn die ganze Nacht krähen hören.

Als ob der Hahn ihr darauf antworten wollte, stieß er ein heiseres Kikeriki aus.

»Wir müssen ihn einsperren«, sagte Anne, »der Briefträger wird gleich kommen.«

Kikri wurde ins Hühnerhaus gebracht.

Gegen neun Uhr rief Mama an. In Vannes gehe alles gut. In der Überholwerft ebenso. Alles in Ordnung.

Und das war die Wahrheit. Nun – wenigstens beinahe die Wahrheit.

Es war wie nach einem heftigen Gewitter, das lange Zeit in der Luft gelegen hatte. Als es endlich ausgebrochen war, atmete die ganze Natur auf.

So war es auch in der Überholwerft. Die Angreifer hatten eine bittere Abfuhr einstecken müssen. Und nun war Schluß. Sie würden ihren Versuch nicht mehr wiederholen.

»Sie werden woanders anfangen«, sagte Ludwig. »Bei uns haben sie genug.«

Davon waren alle überzeugt. Selbst Line teilte die Ansicht ihrer Freunde. »Aller guten Dinge sind drei, sagt man. Und das war der dritte Versuch.«

Und trotzdem! Dieses Gefühl, das sich nicht erklären ließ. Das Gefühl, daß etwas nicht zu Ende geführt war.

Der Briefträger brachte einen Brief von Mama aus Madrid. Papa hatte die persönliche Verbindung mit dem leitenden Bibliothekar aufgenommen, der ihm die Forschungen in jeder Hinsicht erleichterte. Papa hatte bereits mehrere Urkunden gefunden, die sich auf den berühmten Don Manuel de Espinola bezogen. Endlich konnte er seine Geschichte der Stadt Le Cateau abschließen.

Madrid sei eine sehr angenehme, lebendige Stadt, doch im Hinblick auf die berühmte Puerta del Sol habe sie sich getäuscht; das sei nichts als ein kleiner Platz wie jeder andere.

Anne und Line stellten eine Liste der Dinge auf, die besorgt werden sollten. Peter und Ludwig wollten in die Stadt fahren und auch gleich eine Scheibe mitbringen, die die herausgeschnittene ersetzen sollte. Einen Glaser brauchten sie dazu nicht, übrigens wäre der für eine so kleine Arbeit auch gar nicht gekommen.

Sie mußten die Scheibe ausmessen, dazu gingen alle wieder in den Salon.

Kikri, den die Kleinen aus dem Hühnerhaus herausgelassen hatten, als der Briefträger dagewesen war, stolzierte am Ort seiner Heldentaten umher; er trippelte vorsichtig durch das Zimmer und wandte den Kopf immer wieder nach rechts und nach links, als ob er voller Mißtrauen gegen die Schatten um ihn her wäre.

Mit Hilfe eines Zollstocks bemühten sich die Jungen, die genauen Maße der Scheibe festzustellen. Das war keine leichte Sache, und die Maße, die beide nahmen, stimmten nicht überein. Da mußte Anne kommen und ihnen helfen.

Als Line die drei rufen und lachen hörte, dachte sie: ›Man könnte meinen, es sei überhaupt nichts passiert; sie haben schon alles vergessen.‹ Sie selbst jedoch konnte ein Unbehagen nicht überwinden. Dauernd gingen ihr die verschiedensten Fragen durch den Kopf.

›Wer sagt denn, daß es jetzt zu Ende ist, daß keine neuen Versuche unternommen werden? Weshalb sollten die Unbekannten, die ein so großes Verlangen, ins Haus einzudringen, gezeigt haben, nun darauf verzichten? Was suchen sie? Haben sie etwas Bestimmtes im Auge, oder wollen sie nur stehlen, ganz gleich was?‹

»Worüber denkst du nach?« fragte Anne und drückte ihren Arm.

»Über das alles«, erwiderte Line und wies auf das Fenster, den Salon und Kikri, der sich wieder heftig den Schnabel kratzte.

Die Jungen waren abgefahren, Gerhard und Genoveva schaukelten an dem dicken Zedernast. Die Sonne fiel hell ins Zimmer, warf ihr Licht auf die Möbel und spiegelte sich in den Kupfergeräten und den alten Vergoldungen.

Selbst Kikri wirkte, als sei er neu angestrichen, so bunt schillerte sein Gefieder.

Später erinnerte sich Line genau dieses Augenblicks, in dem das Abenteuer, das die Kinder schon für beendet hielten, eine neue Wendung nahm.

Und es war Kikri, der den Stein von neuem ins Rollen brachte. Mit heftigem Flattern sprang er auf das Fensterbrett.

»Mein Gott!« rief Anne plötzlich. »Kikri muß etwas in der Kehle haben! Sieh mal, wie er sich dauernd den Hals kratzt!«

Und tatsächlich kratzte sich Kikri nicht nur den Hals, sondern sein Schnabel stand halb offen, als ob irgend etwas ihn daran hindere, ihn ganz zu schließen. Das konnte man gegen das Licht genau sehen.

»Kikri, Kikri, mein Kleiner . . .«

Anne faßte nach dem Hahn und nahm ihn auf den Schoß, während Line neben ihm niederkniete und ihm den Schnabel aufzumachen suchte. Doch Kikri wußte die Sorge, die man ihm angedeihen lassen wollte, nicht zu schätzen und wehrte sich energisch.

Nach vielen Bemühungen brachte er endlich eine kleine braune Masse zum Vorschein, die ihm innen im Schnabel gesteckt zu haben schien.

»Ich brauche eine Pinzette.«

»Eine Augenbrauenpinzette! Lauf rasch ins Badezimmer!«

Line kam schnell zurück, mit dem stählernen Instrument bewaffnet.

Mit einem kurzen Ruck zog sie die schwärzliche Kugel heraus, die ausgefasert und klebrig wirkte.

Es war ein Stückchen Stoff, das die Mädchen auf dem Tisch glätteten.

Das Gewebe war so verzogen und ausgefranst, daß der ursprüngliche Fadenlauf kaum noch zu erkennen war.

Geduldig ordnete Line mit einer Nadelspitze Faden für Faden, und es gelang ihr, ein Stück Stoff von der Größe dreier Konfettikreise wiederherzustellen.

»Es ist Wolle«, erklärte Line, »mehr kann man nicht sagen.«

»Und außerdem sind es weiße und schwarze Fäden«, setzte Anne hinzu.

»Ja, schwarze und weiße Fäden ... aber damit sind wir so klug wie zuvor.«

»Trotzdem ist es ein Beweis.«

»Ach was! Kikri kann das Fetzchen Stoff sonstwo aufgepickt haben. Auf dem Hof zum Beispiel, dort könnte es der Wind hingeweht haben ...«

»Und warum nicht vom Rücken des einen Mannes aus dem Zelt?«

»Also gut, wieder die Zeltbewohner! Gestern abend fandest du sie wer weiß wie höflich.«

»Aber sie sind heute nacht verschwunden. Das ist verdächtig.«

»Das ist verdächtig! Sollen wir uns an die Verfolgung der beiden Burschen mit dem Zelt machen, obwohl nichts gestohlen ist?«

In diesem Augenblick kamen die beiden Jungen zurück.

»Kein Wort!« sagte Line. »Darüber müssen wir erst nachdenken.«

Die Mahlzeit war rasch verzehrt. Die Mädchen gaben vor, viel Arbeit im Haus zu haben, und drängten die andern vier, gleich zum Strand zu gehen. Sie wollten rasch wieder allein sein.

Das Stückchen Wollstoff, das Anne in einen Umschlag geschoben hatte, wurde aus seinem Versteck hervorgeholt. Doch die Untersuchung förderte nichts Neues für die Mädchen zutage: weiß und schwarz, kleine Karos, wie es schien, eine Art Hahnentritt.

»Ich würde viel drum geben, wenn ich die Kleidung der beiden Burschen aus dem Zelt untersuchen könnte!« murmelte Anne.

»Sie hatten rote oder gelbe Hemden an, welche Farbe, weiß ich nicht genau, aber bestimmt keine grauen.«

»Aber aus grober Wolle?«

»Ja, ich glaube.«

»Sie können ja noch Hemden in anderer Farbe haben, nicht wahr?«

Line rang die Hände.

»Du kommst nicht von ihnen los!«

»Es ist immerhin eine Spur, sogar die einzige, die wir haben.«

Line lachte auf.

»Jetzt sprichst du schon wie ein Polizist. Da, pack dein Beweisstück sorgfältig weg, dann können wir das Abendessen machen. Das ist wichtiger. Was Ordentliches zu essen! Von all den Aufregungen habe ich einen rasenden Hunger. Wir könnten ja einen Kuchen backen. Weißt du ein gutes Rezept?«

»Rezepte? Da stehen jeden Donnerstag welche in der Zeitung. Wollen wir sie heraussuchen?«

Mit leichtem Bedauern verbarg Anne den Umschlag unter einem Stapel von Küchenhandtüchern, öffnete die Türe der Anrichte und nahm einen ganzen Stoß Zeitungen heraus, den sie auf den Tisch legte.

Die beiden Mädchen machten sich daran, die Zeitungen durchzublättern, wobei das Papier laut raschelte.

»Da ist schon eins!« rief Anne. »Vier gleiche Teile – Butter, Eier, Mehl, Zucker . . . Das haben wir alles da. Und der Kuchen ist nicht schwer zu backen.«

Line verschwand hinter einer aufgeschlagenen Zeitung.

»Hast du nicht gehört?«

»Wie bitte?«

»Ich frage, ob du gehört hast, was ich sage. Was liest du denn da so Interessantes?«

»Hier, das!« erwiderte Line und legte die Zeitung offen auf den Tisch.

Mit dem Finger zeigte sie auf eine Schlagzeile auf der ersten Seite: »Ein Goya im Wert von zwei Millionen Mark in London gestohlen.

Die Nationalgalerie hatte das Bild erst vor kurzem erworben. Es handelt sich um ein Porträt des ersten Herzogs Wellington aus dem Jahre 1812.«

»Und dann dies«:

In einer anderen Nummer der Zeitung stand ein Artikel, dessen Überschrift über drei Spalten ging:

»Acht Bilder von Cézanne im Wert von einer Million Mark in Aix-en-Provence gestohlen . . .«

Anne hob den Kopf. Es schien, als ob Line träumte, den Blick ins Leere gerichtet. Sie murmelte vor sich hin: »Das wäre toll!«

»Du bist ja verrückt«, rief Anne. »Glaubst du etwa,
daß . . .«

»Ich glaube gar nichts. Ich denke.«

»Du denkst, daß . . .«

Line sprang auf.

»Sehen wir doch nach! Man kann schließlich nie wissen!«

Sie rannten in den Salon. Die Läden waren geschlossen,
doch durch die Ritzen fiel das Licht mit schrägen Strah-
len ins Zimmer. Die alten Möbel schimmerten im
Halbdunkel.

Mit hämmernden Herzen blieben die Mädchen auf der
Schwelle stehen.

Rechts und links vom Geschirrschrank bildeten die
beiden kleinen Gemälde helle Flecke auf der dunklen
Wand.

»Das da«, sagte Anne mit ausgestrecktem Arm, »das ist
*Der Pfeifer* von . . . ach, ich weiß nicht mehr, wie er
heißt. Das Original hängt im Louvre. Auf der Rückseite hat es eine Inschrift. Und das andere, das ist Nanou.«

»Nanou?«

»Ja, du weißt doch, das alte Dienstmädchen meiner
Großeltern. Es ist eine Fotografie, die nachher kolo-
riert worden sein muß.«

Anne nahm den vergoldeten Rahmen von der Wand
und trug ihn zum Fenster. Die dargestellte Person war
kaum zu erkennen. Es war ein kleines bretonisches
Bauernmädchen, jedoch nur ein Brustbild. Zwischen
der weißen Haube und der dunklen Jacke rundete sich
ein jugendliches Gesicht mit vollen Wangen; den Hintergrund bildeten gelbe Wiesen mit roten Bäumen.

Anne drehte das Bild um. Auf den Rahmen war eine einfache Holzplatte genagelt.

Line griff nach dem Bild und ließ die Finger über das Porträt gleiten.

»Das ist gemalt«, sagte sie. »Das ist kein Foto. Wer hat das gemacht?«

»Das weiß ich nicht. Es hieß immer, es sei ein koloriertes Foto. Sieh dir doch die Bäume an!«

»Das sind Apfelbäume.«

»Rote Apfelbäume.«

»Das schadet doch nichts.«

»Wir nehmen es mit in die Küche, dort sehen wir besser.«

»Bring das andere auch mit!«

Bei dem *Pfeifer* gab es keine Zweifel. Es war eine Reproduktion, auf einen Karton geklebt.

Auf der Rückseite konnte man lesen:

>            Manet, 1832–1883
>            *Der Pfeifer*, 1866
>            Museum des Louvre

Das andere Bild dagegen konnten die Mädchen noch so lange hin und her drehen, es hatte keine Inschrift, keine Signatur, nichts!

Nachdenklich betrachtete Line das junge rosige Gesicht, das kaum ausgeführt war.

»Ob das vielleicht doch die Kleinigkeit ist, die die Leute stehlen wollten?«

»Das weiß ich nicht«, erwiderte Line. »Ich weiß es nicht. Aber wenn es das ist, was sie stehlen wollten, dann haben sie es genau richtig angefangen.«

»Was heißt das? Was willst du damit sagen?«

»Und nur Kikri hat sie dabei . . .«

»Kikri?«

»Ja ... Wenn wir davon ausgehen, daß sich Kikri mit dem Dieb geschlagen hat ...«

»Daran ist nicht zu zweifeln.«

»Und ... und wenn er dem Dieb dieses Stück Stoff aus dem Anzug gerissen hat ...«

»Ach! Jetzt kommst du also doch zu dieser Ansicht!«

»Still!« erwiderte Line. »Stör mich nicht! Ich denke nach. Aber dort drüben können wir es besser sehen. Komm!«

Line blieb auf der Schwelle des Salons noch einmal stehen. Ihr Blick wanderte vom Fenster zum Geschirrschrank.

»Wir wollen mal überlegen«, sagte sie. »Der Dieb kommt. Er öffnet den Haken, hebt den Fensterladen aus den Angeln und legt ihn auf die Erde. Er drückt einen Sauggummi auf die Fensterscheibe und schneidet das Glas heraus. Mit einem leichten Schlag löst er die Scheibe aus dem Rahmen und lehnt sie an die Mauer. Er schiebt den Arm durch das Loch, dreht den Fensterriegel, öffnet das Fenster und steigt ohne Mühe ins Zimmer. Er braucht nur das Bein zu heben. So, nun ist er hier.«

Line stellt sich vor das Fenster. Ihr Gesicht war so gespannt, daß die Freundin ihren Worten mit leidenschaftlicher Aufmerksamkeit folgte.

»All das ist ohne den geringsten Lärm geschehen. Kikri ist nicht einmal aufgewacht.«

Line streckte den Arm aus.

»Kikri ist dort drüben und sitzt ganz außen in diesem Fach. Warum ist Kikri schließlich doch aufgewacht? Weil der Dieb ihm nahe gekommen ist. Weil er das Bild abnehmen wollte.«

»Und als er suchend herumtastete, hat er Kikri vielleicht berührt, und der ist aufgewacht. Ja, Line, so ist es gewesen. So ist es bestimmt gewesen . . .«

»So müssen sich die Dinge heute nacht abgespielt haben. Der Dieb wurde von Kikris Angriff so überrascht, daß er den Kopf verlor und floh. Es kann kein erfahrener Einbrecher gewesen sein.«

»Glaubst du, daß es die beiden Burschen waren?«

»Nein«, erwiderte Line geradezu, »die beiden Männer aus dem Zelt können es nicht gewesen sein, weil sie nie im Salon gewesen sind und nichts von diesem Bild gewußt haben.«

»Aber wer dann . . . wer?«

»Jemand, der das Bild gesehen hat.«

»Alle, die jemals im Salon gewesen sind, haben es sehen können. Seit Jahren schon.«

Im Hof erklang der Ton einer Autohupe.

»Don Ameal«, rief Anne. »Welch ein Glück! Er kommt genau zur rechten Zeit.«

Line trat ans Fenster. Doch plötzlich wich sie zwei Schritt zurück.

»Oh!« sagte sie leise. »Don Ameal hat eine schwarze Jacke an. Er hat die Hahnentrittjacke nicht angezogen.«

»Na und? Was hat das zu bedeuten?«

»Die Hahnentrittjacke, schwarz und weiß, SCHWARZ, WEISS. Das Stück Stoff, begreifst du denn nicht?«

»Du bist verrückt!« rief Anne. »Don Ameal?«

»Geh ihm entgegen!« sagte Line und schob die Freundin zur Tür. »Geh, geh! Mach schnell!«

# Neuntes Kapitel

Sidis Anwesenheit machte alles viel einfacher. Die munteren Sprünge des Hundes, der sie begrüßte, machten es Anne leichter, ihre Erregung zu verheimlichen. Während sie sich gegen die Liebkosungen des Tieres wehrte, warf sie immer wieder einen Blick auf die Haustüre, wo sie ungeduldig hoffte, ihre Freundin auftauchen zu sehen.

Don Ameal lächelte. Die Spielereien seines Hundes machten ihm jedesmal von neuem Spaß. Doch nun tadelte er ihn sanft.

»Quieto, Sidi, quieto! Sie sind allein, Fräulein Anne?«

»Die andern sind am Strand, aber Line ist da.«

Line erschien in der Haustür, und Sidi stürzte sich auf sie.

»Ich wollte mich verabschieden«, sagte Don Ameal. »Ich reise heute abend nach Amsterdam.«

»Wie schade!« rief Anne. »Ist Ihr Urlaub zu Ende?«

»Geschäfte«, sagte er und hob resigniert die Arme.

»Wollen Sie sich nicht eine Minute setzen?«

»Gern«, erwiderte er. »Übrigens habe ich heute morgen mit Ihrer Frau Mutter telefoniert, und wir haben die Angelegenheit geregelt. Ich möchte noch einen Blick auf die beiden kleinen Bilder in den Goldrahmen werfen, Sie wissen ja...«

›Es stimmt also!‹ dachte Anne in höchster Verwirrung. Doch schon trat Line vor und sagte: »Mein Gott! Das wissen Sie ja noch gar nicht. Bei uns ist heute nacht eingebrochen worden.«

»Eingebrochen?«

»Ja. Kommen Sie, sehen Sie es sich an!«

Don Ameal folgte den beiden Mädchen in den Salon.

»Sie sind durchs Fenster eingestiegen. Sie haben einen Fensterladen ausgehängt. Und da, die Fensterscheibe, sehen Sie nur!«

Don Ameal blickte sich höchst erstaunt im Zimmer um. Plötzlich streckte er die Hand aus.

»Und die kleinen Bilder, die dort hingen?«

»Sie sind das einzige, was sie gestohlen haben«, erwiderte Line rasch. »Sie waren wohl am leichtesten mitzunehmen.«

Anne hämmerte das Herz. Lines Dreistigkeit verschlug ihr den Atem.

Don Ameal stand wie erstarrt. Dann schüttelte er den Kopf.

»Sie sagten: Was *sie* gestohlen haben. Wissen Sie, daß es mehrere waren?«

»Gewiß zwei.«

»Burschen, die hier gezeltet haben«, warf Anne ein. »Sie sind den ganzen Tag ums Haus gestreift.«

»Sie haben ihr Zelt auf dem Nachbarfeld aufgeschlagen.«

»Und sie sind auch hierhergekommen?«

»Ja, unter dem Vorwand, Wasser zu holen.«

»Was haben Sie getan? Haben Sie Anzeige erstattet?«

»Nein«, erwiderte Line. »Wir wollen Loute nicht beunruhigen. Es lohnt ja die Mühe nicht wegen der beiden wertlosen Stücke. Außerdem sind die Diebe abgefahren. Es wäre schwierig, sie wiederzufinden.«

»Was waren es denn für Leute? Jung, alt?«

»Junge Männer, vielleicht fünfundzwanzig. Sie trugen Bärte. Sie ...« Anne spürte den gebieterischen Blick

Lines. Sie schwieg mitten im Satz, doch Don Ameal wandte sich ihr zu.

»Sie sahen genau aus wie Verbrecher«, fuhr sie deshalb fort. »Und man merkte es ihnen an, daß sie etwas Böses im Schilde führten.«

»Diese Campinggäste sind wirklich eine Plage«, erwiderte Don Ameal.

Im Hof erklang Sidis Bellen. Die Badenden kehrten recht munter zurück. Gerhard und Genoveva hatten einen Aal gefangen, den sie triumphierend in einem gelben, von den Nachbarn am Strand geliehenen Eimer anbrachten.

»Wirklich ein schöner Aal, gut seine zwanzig Zentimeter lang.«

Don Ameal bewunderte den Fang, dann verabschiedete er sich von den Kindern und wünschte ihnen schöne Ferien.

»Vor allem sprecht mit keinem Menschen über diesen Diebstahl! Ich werde mich selbst darum kümmern. Ich habe Freunde in einflußreichen Stellungen.«

Sidi wurde mit Liebkosungen überschüttet und erwiderte, den Kopf aus dem Fenster der Wagentür gestreckt, die Lebwohlwünsche der Kinder mit einem aufgeregten Wau, Wau.


»Ich bin tot!« rief Anne und ließ sich auf die Stufe vor der Haustür sinken.

Aber sie richtete sich sofort wieder auf.

»Wo hast du übrigens die Bilder versteckt?«

Nun mußte alles erzählt werden, von der Entdeckung des Stoffetzens in Kikris Schnabel bis zum Eintreffen Don Ameals.

Zuerst zogen die Jungen ein geringschätziges Gesicht.

Diese Beweise schienen doch allzu dürftig. Sie hatten die Farbe von Don Ameals Jacke nicht einmal bemerkt. Hatte er denn bei dieser Hitze überhaupt eine Jacke an? Nicht einmal das war gewiß.

»Und zunächst, wer ist dieser Don Ameal denn nun wirklich?«

»Ich glaube, Antiquitätenhändler«, erwiderte Anne. »Er hat hier auf dem Lande einen Haufen alte Möbel gekauft. Die Kinder von den Menhiren nennen ihm die Häuser, wo er alte Sachen finden kann.«

»Ich kann nicht glauben, daß Don Ameal ein Dieb ist«, erklärte Ludwig entschieden. »Eure Geschichte ist nicht stichhaltig.«

»Bestimmt ist diese Geschichte nicht stichhaltig«, bekräftigte Peter und zuckte die Achseln.

Das Ganze verdroß die Jungen ein wenig. Ihre Rolle hatte sich darauf beschränkt, Postenrunden zu machen. Für sie waren die Feinde die beiden Männer im Zelt, und davon ließen sie sich nicht so leicht abbringen.

Trotzdem veranlaßte die Bestimmtheit, mit der Line ihre Gründe auseinandersetzte, sie zum Nachdenken.

Noch einmal spielte das Mädchen die Ankunft und die Bewegungen Don Ameals bis zu dem Augenblick, wo er tastend in die Nähe von Kikri kam und dieser ihn, unsanft geweckt, angriff.

Die Szene war so lebendig, daß Gerhard plötzlich aus vollem Halse schrie: »Pack ihn, Kikri!«

Alle mußten laut lachen. Doch nun hatte ihre Erregung den Höhepunkt erreicht, und jeder dramatisierte den Vorfall noch auf seine Weise.

»Das ist ein internationaler Verbrecher!« rief Gerhard.

»Wir müssen ihn fangen und fesseln.«

»Armer Sidi!« murmelte Genoveva.

»Laß Sidi aus dem Spiel!« entgegnete Peter erbittert. »Das werden wir alles noch feststellen. Und was hältst du nun also von diesen Bildern, mal ganz genau!«

»Ich meine, daß das eine sehr wertvoll ist«, erwiderte Line. »Man stiehlt im Augenblick überall Bilder. Kommt, seht es euch selber an!«

Sie blätterten alle in den Zeitungen.

Diebstahl in London. Diebstahl in Aix-en-Provence. Diebstahl in Saint-Tropez.

Ein paar Minuten lang sprach man nur von Millionen.

»Euer Bild ist vielleicht zehn Milliarden wert!« rief Gerhard.

»Dann wäre Mama ihre Sorgen los«, sagte Anne.

»Sei doch nicht blöd!« warf Peter ein. »Und zunächst mal, wo ist denn dieses Bild überhaupt?«

»Ich habe es versteckt«, erwiderte Line. »Als Don Ameal kam, dachte ich sofort daran, es in Sicherheit zu bringen.«

»Und wo?«

»Sag es nicht!« rief Ludwig.

»Warum nicht?«

»Wir wollen es suchen. Wenn das Versteck gut ist, finden wir es nicht. Ist es schlecht . . .«

»Na, hör mal!« sagte Peter verächtlich. »Du glaubst, wenn wir wirklich richtig suchen, würden wir es nicht . . .«

»Probiert's doch!« entgegnete Line. »Dann werdet ihr's ja sehen. Wenn ihr es nicht findet, sage ich euch, wo es ist.«

»Nein!« rief Gerhard. »Sag es nicht! Wenn uns die Verbrecher dann foltern, können wir das Geheimnis nicht verraten.«

»Ach, du mit deinen Verbrechern!«

Sofort machten sich alle auf die Suche. Alle Zimmer wurden genau durchstöbert, die Schränke und Kommoden ausgeräumt.

»Ist es im Haus?«

»Ja«, erwiderte Line.

Gerhard klopfte die Wände ab und untersuchte das Parkett.

»Ist es bei mir heiß?« fragte einer der Suchenden von Zeit zu Zeit.

Doch darauf antwortete Line nicht. Sie bereitete ruhig das Abendessen vor, während das Haus von ärgerlichen Ausrufen widerhallte.

Schließlich war der Hunger größer als die Hartnäckigkeit der Suchenden. Es war schon recht spät, und alle kamen zu Tisch.

Ein triumphierendes Lächeln um den Mund, trug Line die Suppe auf.

»Du hast gewonnen«, gab Peter schließlich zu. »Kein Mensch ist imstande, das Bild zu finden.«

»Aber es waren ja zwei!« rief Ludwig. »Es ist ihr also gelungen, alle beide zu verstecken.«

In seiner Stimme klang aufrichtige Bewunderung.


Als der Hunger gestillt war, begann die Unterhaltung aufs neue.

»Was stellt dieses Bild eigentlich genau dar?« fragte Peter. »Ich habe es überhaupt nicht bemerkt.«

»Ein kleines Mädchen«, erwiderte Anne. »Eine kleine Bretonin mit weißer Haube.«

»Das ist ein Picasso!« rief Gerhard.

»Mein Gott, ist der dämlich!« knurrte Peter.

»Picasso hat doch bloß immer halbe Köpfe gemalt«, erklärte Ludwig.

»Man hat schon Bilder von großem Wert auf dem Heuboden gefunden«, sagte Anne. »Warum sollte schließlich nicht auch dieses . . .«

»Es war nicht auf einem Heuboden, es hing an der Wand.«

»Und deshalb hat es Don Ameal bemerkt. Er wollte es organisieren!« rief Gerhard. »Der Möbelkauf, das war überhaupt nur Schein. Was er haben wollte, war das Bild. Weiter gar nichts! Glaubst du nicht, Line?«

Gerhards Worte gaben Lines Gedanken so vollendet wieder, daß sie sich mit einer zustimmenden Bewegung begnügte.

»Und glaubt ihr wirklich, daß Don Ameal die Sache jetzt fallenläßt?« fragte Peter.

»Nur gut, daß das Bild nicht mehr da ist!«

»Und die Burschen aus dem Zelt! Ihr habt ihm erzählt, die hätten das Bild gestohlen. Er wird ihre Spur verfolgen.«

»Die Männer aus dem Zelt sind unschuldig«, sagte Gerhard. »Und die müssen sich jetzt zusammenhauen lassen!«

»Halt doch endlich mal den Mund!« rief Peter.

»Aber er hat recht«, erwiderte Anne. »Hast du mir heute nachmittag deshalb so wütende Blicke zugeworfen?«

»Natürlich«, bestätigte Line. »Du warst ja drauf und dran, ihm alle Aufklärungen zu geben.«

»Glaubst du, daß Don Ameal sie suchen wird?«

»Ich fürchte, ja.«

Plötzlich wurden Line überhaupt erst die Folgen ihres Vorgehens bewußt. Aber was hätte sie denn sonst tun sollen in der Eile. Sie hatte nur die Gefahr für das Bild abwenden wollen.

»Man müßte sie warnen«, sagte Genoveva. »Sie waren so höflich.«

»Wie sollen wir sie denn warnen? Sie sind doch fort. Und sie wiederzufinden . . .«

»Ach«, warf Anne ein, »was habe ich denn groß verraraten? Fünfundzwanzig Jahre, Bart und Verbrechermiene, das ist alles! Mit dieser Beschreibung . . .«

»Alle Leute, die zelten, sehen ähnlich aus«, erklärte Ludwig. »Und es gibt Tausende und aber Tausende. Ich glaube, da können wir unbesorgt sein.«

»Jedenfalls werden wir diese Nacht Ruhe haben.«

Trotzdem wurde die Überholwerft verbarrikadiert, die Haken der Fensterläden mit Eisendraht umwickelt und die Außentüren mit Balken gesichert.

Natürlich wurde Kikri aufgefordert, im Hause Posten zu beziehen. Er ließ sich nicht lange bitten und setzte sich wie am Abend zuvor in den Geschirrschrank.

Als Gerhard die Treppe hinaufstieg, um in sein Zimmer zu gehen, rief er plötzlich: »Und der Aal? Jetzt haben wir ganz vergessen, den Aal zu kochen.«

»Wo ist er denn?«

»Immer noch im Eimer.«

»Armer Kerl!« sagte Anne. »Geh, wirf ihn wieder ins Meer, lauf!«

Man diskutierte eine Weile über das Schicksal des Aales, dann wurde Annes Vorschlag angenommen. Die Jungen unterzogen sich murrend der Aufgabe. »Mir hat er eigentlich auch leid getan«, sagte Gerhard.

»In ein paar Tagen ist er größer. Dann versuchst du, ihn wieder zu fangen.«

# Zehntes Kapitel

Line fand keine Ruhe. Immer wieder war sie fast eingeschlafen, und schon wurde sie von einem Bild bedrängt; es war stets dasselbe.

Auf einer sonnenhellen Straße sah sie die beiden Zeltbewohner fröhlich auf dem Rad miteinander plaudern. Ein Auto tauchte auf, ein schwerer schwarzer Wagen, der sie beide erfaßte . . .

Es war ein entsetzlicher Alpdruck. Was sollte sie tun? Wie konnte sie das verhindern?

Tausend verworrene Gedanken schossen ihr durch den Kopf. Eine »persönliche Mitteilung« im Radio: »Herrn Ameal Gonzalez, in einem schwarzen Wagen auf der Reise nach Amsterdam, wird mitgeteilt, daß sich das Bild, das er sucht, in Sicherheit befindet.«

Das war so widersinnig, daß Line völlig wach wurde. »Ich werde verrückt«, sagte sie. »Und vielleicht ist die ganze Geschichte von vorn bis hinten Wahnsinn.«

Sie zwang sich, ruhig zu überlegen und die Ereignisse von Anfang an noch einmal zu durchdenken.

Drei Einbruchsversuche, von denen der letzte gelang, aber vor dem eigentlichen Diebstahl endete.

Der Ausführende bei diesem letzten Einbruchsversuch war Don Ameal. Das war ziemlich sicher.

Don Ameal wollte sich also um jeden Preis eines Gegenstandes bemächtigen, den er auf andere Weise nicht erhalten konnte.

Welcher Gegenstand war das? Dieses Bild, das man ihm nicht hatte verkaufen wollen? Dann mußte dieses

Bild also wertvoll sein, so wertvoll, daß er einen Einbruch dafür wagte . . .

Da war sie wieder an diesem Punkt. Alle Überlegungen, alle Vermutungen, die sie tausendmal von neuem anstellte, liefen darauf hinaus, daß dieses Bild, das eine kleine Bretonin darstellte, großen Wert hatte.

Völlig wach richtete sich Line vom Kissen auf.

Der Morgen graute. Mit einer raschen Bewegung warf sie die Bettdecke zurück und lief zum Fenster.

Es war gar nicht der Morgen, sondern der Mond, der rund und weiß über die Bäume stieg.

Die Nacht war mild und still. Es mußte Flut sein. Man vernahm das Geräusch der Wellen, die an den Fuß der Düne schlugen.

»Line . . . wie spät ist es denn?«

»Ich weiß nicht. Es ist noch Nacht.«

»Ich kann auch nicht schlafen.«

Anne saß im Bett. Line setzte sich zu ihr.

»Ich muß dauernd an dieses Bild denken«, sagte Anne.

»Wir müssen etwas unternehmen. Wenn es wirklich wertvoll ist . . .«

»Wir müssen herausfinden, woher es stammt. Wie ist es in euer Haus gekommen? Könntest du nicht deine Mutter fragen?«

»Mama weiß nichts darüber. Davon bin ich überzeugt. Wenn sie auch nur im Traum geglaubt hätte, daß es irgendwelchen Wert hat, hätte sie es längst verkauft.«

»Wer könnte uns sonst etwas darüber sagen?«

»Man müßte es einem Kenner zeigen, einem Fachmann . . . ich weiß ja nicht . . .«

»Wenn wir nur wüßten, von wem es ist. Vielleicht hat es ja doch eine Signatur, und wir haben sie nur nicht gefunden.«

»Aber selbst wenn es gezeichnet ist, könnte es eine Fälschung sein.«

»Das könnte uns ein Fachmann sagen.«

»Don Ameal ist vielleicht Fachmann, weil er doch Antiquitätenhändler ist.«

»Damit kommen wir auch nicht weiter«, murmelte Anne bedrückt. »Was können wir nur tun?«

»Weißt du keinen Menschen, der uns etwas über die Herkunft dieses Bildes sagen könnte?«

»Ich weiß nicht, ich überlege.«

»In eurer Familie vielleicht?«

»Wir haben keine Verwandten.«

Die beiden Freundinnen saßen schweigend nebeneinander.

»Wie bin ich doch dumm!« rief Anne plötzlich. »Wir haben ja Nanou.«

»Lebt Nanou denn noch?«

»Natürlich. Sie ist schon sehr alt.«

»Wir können sie ja besuchen und uns bei ihr erkundigen. Wo wohnt sie denn?«

»In La Trinité. Ihr Mann war Fischer.«

»Gut, dann fahren wir morgen nach La Trinité ... Wollen wir den Jungen was davon sagen?«

»Damit wollen wir lieber warten. Es wird besser sein, wenn sie hierbleiben und das Haus bewachen. Schließlich können wir uns nicht unbedingt darauf verlassen, daß es wirklich das Bild ist, das der Dieb gesucht hat. Vielleicht gibt es andere Dinge im Haus.«

»Wenn wir nun versuchen würden zu schlafen?« sagte Line.

»Ja. Ach, übrigens, wo hast du das Bild eigentlich hingetan?«

Line verriet ihr das Versteck.

Anne lachte.

»Kein Mensch wird auf die Idee kommen, dort danach zu suchen.«

Die beiden Mädchen waren um sieben Uhr in der Küche. Sonst war es noch still im Haus.

Die Sonne stand schon hoch und beleuchtete die Front der Überholwerft.

Das Bild wurde aus seinem Versteck geholt und noch einmal genau untersucht. Doch Nanous Porträt wollte sein Geheimnis nicht preisgeben: es war keine Signatur zu sehen. Auch der Rücken der Holztafel gab keinen Hinweis.

»Man könnte meinen, es sei der Deckel einer Zigarrenkiste«, sagte Anne.

»Die müßte aber groß gewesen sein.«

Sie maßen nach: einundzwanzig mal siebenundzwanzig Zentimeter. Ja, das war eine große Kiste für hundert Zigarren.

Anne hob das Bild an die Nase.

»Es riecht nur nach altem Holz und nach Staub«, sagte sie.

Line lächelte. Der Tabakgeruch mußte längst verflogen sein.

»Wenn man denkt, daß dieses kleine Dienstmädchen vielleicht die Überholwerft retten wird!« murmelte Anne.

Für die Fahrt wurde das »kleine Dienstmädchen« in eine alte Zeitung gewickelt und dann in einen Mehlbeutel geschoben, der fest auf dem Gepäckträger von Annes Rad angebunden wurde.

Als die Jungen in der Küche erschienen, waren die beiden Freundinnen bereit abzufahren.

»Wir müssen Einkäufe machen«, sagte Line. »Inzwischen könnt ihr die Scheibe im Salon einsetzen. Aber geht nicht weg! Wir sind bald wieder da.«

Die alte Nanou wohnte in einem Haus aus unbehauenen Granitsteinen mit Strohdach im Schatten einer Kieferngruppe.

Solche Häuser sah man oft auf Bildern, doch in Natur begegnete man ihnen nur noch sehr selten, selbst in der Bretagne.

Rundherum breitete sich die Heide mit ihrem Stechginster, die sich sanft zum Meer hin senkte.

Als die jungen Mädchen kamen, saß Nanou auf einem Stuhl vor der Haustür. Sie hob die Hand über die Augen, um die Besucherinnen erkennen zu können.

»Guten Tag, Nanou.«

»Guten Tag, Fräulein. So früh habe ich Sie nicht erwartet.«

»Sie haben uns erwartet?«

»Ach du meine Güte!« rief Nanou und richtete sich auf. »Da habe ich dich doch für das Fräulein gehalten, das mir meine Rente bringt.«

Sie küßte Anne ein-, zwei-, dreimal.

»Wie groß du geworden bist, mein Kind, und was du für runde Backen hast! Ich habe dich lange nicht mehr gesehen.«

»Kaum zwei Monate, Nanou.«

»Und das andere kleine Fräulein?«

»Das ist Line aus Paris, Sie wissen doch, die Tochter von Helene.«

»Die Tochter von Helene! So ein großes Mädchen hat Helene schon! Wie geht es Helene denn? Will sie mich nicht besuchen?«

Die beiden mußten der alten Frau alles erzählen, alles erklären und ihr von allen Bekannten berichten.

»Kommt doch ein Weilchen mit hinein, damit ich euch nicht vor der Tür abfertige wie Bettler.«

Sie mußten sich an den Tisch setzen, den Hund stören, der dort schlief, erklären, daß sie nicht zum Essen bleiben könnten, weil die Jungen allein zu Hause seien und nur die kleine Genoveva als Köchin hätten, und daß sie deshalb rechtzeitig zurückfahren müßten.

Dann erst konnte Anne auf den Zweck des Besuches zu sprechen kommen.

»Erinnern Sie sich noch an das kleine Bild, Nanou, das im Salon hing, links vom Geschirrschrank?«

»Links vom Geschirrschrank? Aber zu meiner Zeit stand der Geschirrschrank doch gar nicht im Salon, er stand im Speisezimmer. Im Salon waren das Klavier, der große Schrank voll von Büchern und die Sessel.«

Ja, natürlich. Jetzt war alles anders. Das Klavier war schon lange nicht mehr da, und der Bücherschrank und die Sessel waren auf den Boden geschafft worden.

Mama hatte wohl den Salon mit den älteren Möbeln eingerichtet.

»Und hingen keine Gemälde an den Wänden, Nanou?«

»Nein. Soweit ich weiß, nicht. Da hingen nur Rahmen mit Fotografien.«

Line packte das Paket aus und reichte es Anne. Die wickelte das Bild aus der Papierhülle.

»Erkennen Sie das Bild, Nanou?«

Sie gingen wieder vor das Haus.

Die alte Frau nahm das Gemälde in beide Hände und legte den Kopf zurück.

»Aber das bin ich ja!« rief sie. »Natürlich erkenne ich das! Das war doch das Bild, das zusammen mit einem

andern von einem Soldaten hing. Ich habe aber nie erfahren, ob dieser Soldat ein Verwandter war oder was.«

Die beiden Mädchen tauschten einen Blick voller Hoffnung aus.

»Wissen Sie auch, wer dieses Porträt gemacht hat?« fragte Line.

»Aber gewiß! Ich erinnere mich noch ganz genau. Ich habe damals genug Mühe gehabt, mich nicht zu bewegen. Vor allem, wenn er mich anschrie, als ob ich ein störrisches Pferd wäre. ›Wirst du wohl stillhalten!‹, so hat er immer gerufen. Eigentlich war es ja zum Lachen.«

»Und wer war das, der gerufen hat, Nanou?«

»Der Herr Paul natürlich doch.«

»Und wer war dieser Herr Paul?«

»Na, der, der das Bild gemalt hat.«

»Paul – und wie weiter? Hieß er Jaouen – wie wir?«

»Aber nein doch! Das war kein Jaouen! So kennst du deine Familie? Das war ein Bekannter von Herrn Heinrich oder vielleicht auch ein entfernter Vetter von der Seite von Frau Adelaide.«

Nanou überlegte eine Weile.

»Aber vielleicht war es doch ein Verwandter, weil er mit uns gegessen hat.

Wart mal, jetzt erinnere ich mich.

›Um Ihnen zu danken, werde ich Ihr Porträt malen‹, hat er zur gnädigen Frau gesagt. Aber die gnädige Frau wollte sich nicht malen lassen. ›Dann die Kleine da.‹

Und die Kleine, das war ich. Ich war aber schon ein großes Mädchen. Und ich wollte nicht, daß er mich mit einem häßlichen Gesicht zeichnete. Weil er ja gar kein richtiger Maler war, wenn man's genau nimmt. Aber es ist ihm gar nicht schlecht gelungen, das muß man wirklich sagen.«

»Und seinen Namen wissen Sie nicht mehr, Nanou? Überlegen Sie doch mal! Wo hat er denn gewohnt?«

»Wo er gewohnt hat? Das war eine ganze Horde, die nicht viel zu tun hatte, das ist sicher. Ich habe nie erfahren, ob er überhaupt einen Beruf hatte. Sie waren ständig auf dem Lande.«

»Aber irgendwo muß er doch gewohnt haben, dieser Herr Paul.«

»Wartet mal! Er nannte sich ... Es liegt mir auf der

Zunge ... Ach, jetzt ist es weg ... Wozu braucht ihr den Namen denn? Handelt es sich um Papiere?«

»Ja«, erwiderte Anne, »um sehr wichtige Papiere.«

»Ach, Kindchen, es fällt mir nicht wieder ein.«

Anne seufzte. Nun begann Line noch einmal von neuem.

»Wie alt waren Sie denn damals, Nanou, als das gemalt wurde?«

»Vielleicht zehn, elf Jahre. Ja, und dann habe ich meinen armen Seligen im Jahr 96 kennengelernt, bei der großen Volksmission in Carnac; damals war er gerade zwanzig. Ich bin 78 geboren. Ich bin schon ziemlich lange auf dieser Erde. Und was habe ich alles erlebt!«

Arme Nanou. Sie lächelte, glücklich darüber, daß sie schwatzen und ihre Erinnerungen auspacken konnte. Die Farbe war auf ihre Wangen zurückgekehrt, und sie wirkte viel jünger. Vom Weg her hörte man das Knattern eines Mopeds.

»Da kommt das Fräulein!« rief Nanou.

Die jungen Mädchen standen auf und verabschiedeten sich.

»Ihr braucht doch noch nicht zu gehen!« sagte Nanou. »Das ist doch nur das Fräulein, das meine Rente bringt.«

Aber für die Mädchen wurde es Zeit, zu fahren.

»Besucht mich bald wieder!« bat Nanou. »Die Zeit wird mir lang, wißt ihr.«

»Wir kommen wieder«, entgegnete Anne, »und dann bringen wir die ganze Familie mit.«

# Elftes Kapitel

Zur gleichen Zeit, als Anne und Line sich von der alten Nanou verabschiedeten, fuhr ein großer grauer Wagen auf den Hof der Überholwerft.

Peter und Ludwig waren gerade damit beschäftigt, die Scheibe im Salonfenster einzusetzen. Die Arbeit erwies sich als gar nicht so einfach. Zwar paßte die Scheibe genau in den Rahmen, aber Ludwig hatte nur einen großen Hammer, um die kleinen Stifte, mit denen sie befestigt werden mußte, einzuschlagen. Peter und Gerhard unterstützten ihn mit vielen guten Ratschlägen und machten sich darauf gefaßt, daß das Glas jeden Augenblick zerspringen werde.

Genoveva hatte Lines Anweisungen auf einem Zettel auf dem Kamin gefunden und spielte die Hausfrau.

Als es an die Tür klopfte, fuhren alle zusammen.

Der Besucher war ein ziemlich großer Mann mit gebräuntem Gesicht und entschlossener Miene.

»Guten Tag, Kinder!« sagte er freundlich. »Ist das hier die Überholwerft?«

Der Kinderchor bejahte die Frage.

»Ich bin ein Freund von Don Ameal, und er hat mich gebeten, mich um eure Angelegenheit zu kümmern ... Hier ist in den letzten Tagen doch eingebrochen worden, nicht wahr?«

»Ja.«

»Richtig. Könnte ich mir das wohl mal ansehen?«

»Sind Sie von der Polizei?« fragte Peter.

»Ja. Ich komme eben von Bénodet, wo ich meinen Urlaub verbringe. Don Ameal hat mich angerufen, ehe er nach Amsterdam fuhr. Und wo ist das nun passiert?«

»Hier«, erwiderte Peter, »in diesem Zimmer. Da steht die Scheibe, die herausgeschnitten worden ist.«

Der Inspektor untersuchte das Glas.

»Hübsche Arbeit«, sagte er. »Und wo befand sich das Bild? Es ist doch ein Bild, das gestohlen worden ist?«

»Ja, hier. Es war ein Gegenstück zu dem andern dort drüben. Die Rahmen waren gleich.«

Die Kinder hatten sich um den Polizeibeamten geschart. Völlig verwirrt wechselten sie bedeutsame Blicke, aus denen ihr Zweifel sprach. Don Ameal war also doch nicht der Schuldige? Lines Überlegungen sollten falsch sein? Dann mußte man ja noch einmal von vorn anfangen. Das war zum Verrücktwerden!

Sollte man dem Polizeibeamten die Wahrheit sagen? Ihm gestehen, daß das Bild gar nicht gestohlen war? Daß es sich im Haus befand, in einem Versteck, das sie nicht kannten? Ach, wenn doch nur Line da wäre!

Gerhard beobachtete hingerissen jede Bewegung des Inspektors. Er ließ ihn nicht eine Sekunde aus den Augen. Was war das für ein unverhofftes Glück, daß er die Arbeit eines Polizeibeamten verfolgen konnte!

»Gut«, sagte der Mann, nachdem er sich eine Weile im Salon umgesehen hatte, und wandte sich an Peter: »Ihr habt einen Verdacht, nicht wahr? Das hat mir Don Ameal gesagt.«

Jetzt mußte man eine Entscheidung treffen.

»Wir haben gedacht ... wir sind uns aber nicht sicher ... Auf dem Nachbarfeld haben zwei gezeltet.«

»Haben sie das Bild gesehen?«

»Ich weiß nicht. Ich glaube. Die Türen stehen doch immer offen.«

»Bestimmt haben sie es gesehen«, sagte Ludwig fest. »Sonst hätten sie es ja nicht genommen!«

Das traf natürlich zu. Wenn man sich erst auf eine Lüge eingelassen hatte, mußte man auch bis zu Ende lügen.

Zuerst Zeit gewinnen, gemeinsam überlegen und dann entscheiden, ob es besser wäre, die Wahrheit zu sagen. Dann konnte man immer noch erklären, die Mädchen hätten einen Scherz gemacht.

»Sie sind hier im Zimmer gewesen«, fragte der Polizeibeamte noch einmal, »und haben sich das Bild angesehen?«

»Sie haben sich gewiß alles angesehen; wir haben nicht achtgegeben.«

»Ja, ich verstehe ... Und was waren das für Leute, die da im Zelt gewohnt haben?«

Ein neuer heikler Augenblick. Ohne sich verabreden zu können, entschlossen sich Peter und Ludwig, eine möglichst unbestimmte Beschreibung zu geben: die Burschen waren mittelgroß, sie trugen einen Bart, sie waren gekleidet wie alle Leute auf den Campingplätzen. Ob sie Fahrräder oder Mopeds hatten, das wüßten sie nicht mehr genau.

»Sie haben von einem Hund gesprochen«, sagte Genoveva, die bisher geschwiegen hatte.

»Ach, sie haben einen Hund? Was war denn das für einer, meine Kleine?«

»Das weiß ich nicht. Ich habe ihn nicht gesehen.«

»Aber das ist trotzdem sehr wichtig. Hat irgendeiner von euch den Hund gesehen? Nein?«

»Nein, wir haben ihn alle nicht gesehen.«

»Aber ihr wißt, daß sie einen Hund besitzen. Wenigstens, daß ein Hund sie begleitet?«

Da die Mienen der Jungen sehr unsicher wirkten,

wandte sich der Inspektor wieder an Genoveva: »Nun, kleines Fräulein?«

»Ich weiß nur, daß sie von einem Hund gesprochen haben, weiter nichts.«

Der Polizeibeamte schien enttäuscht zu sein, doch er lächelte trotzdem freundlich.

»Ich danke euch, Kinder. Wir wollen versuchen, das alles aufzuklären. Ich werde euch auf dem laufenden halten.«

Der Beamte ging hinaus, von den Kindern gefolgt.

Auf dem Weg strich er Gerhard über den Kopf, der seinen Wagen musterte.


»Junge, Junge, das ist ja eine schöne Bescherung!« rief Peter. »Line mit ihren großartigen Ideen!«

Der Wagen bog in die Allee ein.

Gerhard radelte hinterher.

»Er ist verrückt!« rief Genoveva. »Gerhard, Gerhard!«

Doch Gerhard trat in die Pedale, so schnell er konnte, und verschwand in dem Staub, den das Auto aufwirbelte.

Peter und Ludwig stürzten sich buchstäblich auf Genoveva. »Wie kommst du dazu, die Geschichte mit dem Hund zu erzählen? Du weißt doch genau, daß sie keinen Hund hatten.«

»Eben«, erwiderte Genoveva ruhig.

»Was heißt: eben?«

»Ich glaube nicht, daß die Männer aus dem Zelt die Diebe sind. Dazu waren sie zu nett.«

»Wenn's danach geht«, sagte Peter, »kann es Don Ameal genausowenig gewesen sein.«

»Dann war's irgendwer anders.«

»Einverstanden, irgendwer! Also auch die aus dem Zelt. Aber einen Einbruch hat es doch gegeben, nicht wahr? Das wollen wir nicht vergessen. Schließlich haben sich diese Kerle komisch benommen.«

»Sie waren sehr nett«, widersprach Genoveva.

Peter zuckte die Achseln.

»Nett! Nett! Was heißt nett?«

»Da kommen die Mädchen!« rief Ludwig plötzlich.

Line und Anne kamen langsam angefahren. Die vier liefen ihnen entgegen. Innerhalb weniger Minuten hatte man sie über den Besuch des Polizeibeamten unterrichtet, was er hier getan und was er gesagt hatte.

»Da hast du dich also in den Finger geschnitten, Schwesterlein«, schloß Peter.

Line überlegte, völlig niedergeschmettert. Konnte sie sich denn so getäuscht haben?

Anne dagegen dachte nur an die Gefahr, in die die beiden jungen Männer aus dem Zelt nun geraten waren.

»Wißt ihr auch genau, daß ihr nichts gesagt habt, was dazu führen könnte, daß die beiden gefunden werden?«

»Der Polizeibeamte war merkwürdig überzeugt, daß er sie nach der Beschreibung, die wir ihm gegeben haben, finden müsse.«

In dem Augenblick erschien Gerhard am Ende der Allee.

»Wo kommt denn der jetzt her?« brummte Line.

»Er hat beim Kaufmann gehalten«, rief Gerhard schon von weitem, »und dann ist er wie ein Wilder davongebraust.«

»Bei Mesquer?«

»Ja, bei dem Kaufmann an der Kreuzung. Er muß dort gefragt haben, ob er sie kennt.«

»Und was hat Mesquer gesagt?«

»Was er gesagt hat, weiß ich nicht. Aber er hat nach dem Strand von Ker Mario gezeigt. Vielleicht zelten sie nun dort.«

»Verflixt und zugenäht!« rief Anne.

»Was gibt's denn da zu lachen?« schrie sie Gerhard darauf erbittert an, der scheinheilig lächelte.

»Ich freue mich nur«, erwiderte Gerhard, ohne abzusteigen, »weil dieser Bursche überhaupt kein Polizist ist.«

»Er ist kein Polizist? Was ist er denn sonst?«

»Was er ist, weiß ich nicht, aber er ist sicher kein Polizist!«

Und plötzlich sprudelte er hervor:

»Habt ihr schon mal einen Polizisten mit einem Mercedes 300 SL gesehen?«

»Was redet er da? Worum handelt es sich überhaupt?«

»Sein Wagen ist ein Mercedes. Die französischen Polizisten fahren aber nur französische Wagen, nicht wahr? Sie sausen doch nicht in deutschen Wagen hier herum.«

Einen Augenblick blieben alle stumm. Gerhard nutzte das aus.

»Und außerdem hatte sein Wagen eine rote Nummer!«

»Was soll denn das wieder heißen?«

»So eine Nummer haben Wagen, die nur hier durchfahren, wenn sie von der Fabrik kommen«, erklärte Peter. »Weißt du auch genau, daß es ein Mercedes war und daß er eine rote Nummer hatte?«

»Wenn ich es euch sage! Ich kenne doch die Mercedestypen! Ich habe sie alle in kleinen Modellen.«

Man konnte sich auf Gerhard verlassen, in dem Punkt war er nicht zu schlagen. Seine Sicherheit weckte in allen Zweifel.

»Nun begreife ich gar nichts mehr!« rief Ludwig und drückte beide Hände gegen die Schläfen. »Nichts . . . nichts . . . nichts!«

»Aber ich glaube, daß ich jetzt anfange, alles zu verstehen«, entgegnete Line. »Kommt schnell, ich muß euch was erzählen.«


Wie durch Zauberei lag Nanous Porträt auf dem Tisch des Eßzimmers.

»Woher kommt denn das nun wieder?«

»Faßt es nicht an!« rief Anne. »Betrachtet es, aber berührt es nicht!«

Sie lehnte den Rahmen an die Karaffe, und die Jungen drängten um den Tisch, um es genau zu betrachten.

»Wo hattest du es versteckt?«

»Kein Wort davon!«

»Das ist Nanou«, wiederholte Anne.

»Und was weiter?« rief Peter.

Anne lachte.

»Wollen wir ihnen alles erzählen?«

»Natürlich.«

Die Mädchen berichteten über ihren Besuch bei der alten Nanou und erzählten alles, was sie dort erfahren hatten.

Der Maler des Bildes war also ein gewisser Herr Paul, und das Modell, eben Nanou, hatte als Dienstmädchen bei den Urgroßeltern von Anne und Ludwig gelebt.

»Noch eine Einzelheit«, sagte Line, »das Bild ist in den Jahren 1888, 1889 gemalt, weil Nanou 1878 geboren wurde und um jene Zeit zehn bis elf Jahre alt war.«

»Das ist endlich mal genau«, entgegnete Peter, »1888, 89. Und sonst? Weiter nichts? Wer war dieser Herr Paul? Ein Maler?«

»Das möchte man annehmen«, erwiderte Ludwig.

»Ich meine: ein berühmter Maler?«

»Ja, aber gerade das wissen wir leider nicht.«

»Man braucht doch nur ins Lexikon zu gucken«, rief Gerhard. »Wo habt ihr euer Lexikon?«

»In meinem Zimmer«, entgegnete Ludwig. »Ich hol's.«

Leider nannte das Lexikon unter dem Namen Paul zwar den Apostel und mehrere Heilige, Päpste, Könige und Zaren – aber nicht einen einzigen Maler.

»Natürlich ist Paul der Vorname. Wir müssen den Familiennamen wissen.«

Alle Köpfe näherten sich dem Bild. Doch genau wie die Mädchen konnten die Jungen auch nicht die Spur einer Unterschrift entdecken. Nanous Porträt bewahrte sein Geheimnis gut.

Man kam wieder auf den Polizeiinspektor zu sprechen. War er ein echter oder ein falscher Polizist? Die Gründe, die Gerhard genannt hatte, waren zwar nicht unbedingt überzeugend, aber man mußte doch darüber nachdenken.

»Es war ein falscher, sage ich euch«, rief Gerhard. »Und überhaupt sind alle Polizeiwagen schwarz!«

»Und wenn es nun sein Privatwagen wäre?«

»Ein 300 SL? Ein Schlitten, der achtundzwanzigtausend kostet? Wie stellt ihr euch das eigentlich vor, ein einfacher Inspektor?«

»Aber wenn es kein Polizist war, dann muß es ja ein Komplize von Don Ameal gewesen sein.«

»Natürlich ist er ein Komplize. Ganz zweifellos handelt es sich um eine Bande. Und gut organisiert, das kann ich euch versichern. Daß dieser Bursche so dreist hierhergekommen ist, ist der beste Beweis! Das sind Gangster, nichts als Gangster!«

Das Wort war gefallen! Gerhards Erregung steckte alle andern an.

»Und die Männer aus dem Zelt?« rief Anne. »Dann sind sie in Gefahr!«

»Wenigstens in Kürze«, erwiderte Peter. »Wir müssen sie warnen, und zwar rasch.«

Line hatte einen Augenblick geschwiegen und richtete sich nun energisch auf.

»Erst eßt ihr zu Mittag«, sagte sie. »Dann gehen wir zum Kaufmann und fragen ihn, ob er weiß, wo die beiden aus dem Zelt hingefahren sind. Wenn er diesen Mann darüber unterrichtet hat, wird er es uns auch mitteilen.«

Es klingelte, und Loute rief überraschend an. »Ja, alles steht ausgezeichnet. Wir gehen zum Strand. Wir haben viel Spaß, ungeheuer viel. Nein, Don Ameal ist noch nicht wieder dagewesen . . .«

»Aber er muß doch noch einmal dagewesen sein.«

»Ja, doch, auf der Durchfahrt nach Amsterdam. Ja, wahrscheinlich kommt er dann auf der Rückfahrt. Auf Wiedersehen, Mama. Mach dir nur keine Sorgen! Es geht alles ausgezeichnet.«

»Nette Burschen!« sagte Mesquer. »Immer guter Laune. Ja, heute vormittag hat mich schon jemand nach ihnen gefragt. Sie wollten ihr Zelt in Ker Mario aufschlagen. Bei Ihnen auf dem Feld hat es ihnen gut gefallen, aber die Mücken haben sie vertrieben.«

Peter und Ludwig wurden beauftragt, an den Strand von Ker Mario zu fahren und die beiden Burschen aus dem Zelt zu finden, koste es, was es wolle.

Am Abend kehrten sie todmüde zurück. Sie waren Kilometer um Kilometer gefahren, hatten Dutzende von Leuten gefragt – nichts! Die Spur verlor sich in Ker Mario.

Dort unten gab es etwa zwanzig Zelte. Und diese Leute hatten die beiden gesehen. Anscheinend waren es Medizinstudenten. Sie hatten einen kleinen Jungen behandelt, der sich einen Arm ausgerenkt hatte. Aber dann kamen zwei andere junge Männer im Kleinwagen zu ihnen. Sie hatten ihr Zelt zusammengepackt und waren zusammen weitergefahren. Wahrscheinlich nicht sehr weit, denn sie hatten gesagt, in ein paar Tagen wollten sie ihr Zelt wieder in Ker Mario aufschlagen.

»Und der Gangster?«

»Der ist heute vormittag ebenfalls dort aufgetaucht.«

»Er weiß also auch nicht mehr als wir?«

»Er sucht sie bestimmt und belauert ihre Rückkehr nach Ker Mario.«

Peter und Ludwig waren bis nach Penthièvre weitergefahren und hatten Leute gefragt, die ganz nahe an der Straße zelteten, an der Stelle, wo die Halbinsel Quiberon nur ein paar Meter breit ist. Aber in dieser Gegend hatte niemand eine Gruppe von vier jungen Männern vorbeikommen sehen.

»Vielleicht sind sie in die Richtung von La Trinité gefahren. Wir wollen uns morgen dort erkundigen.«

# Zwölftes Kapitel

Der Wolkensaum am Horizont stieg gegen Abend höher und türmte sich zu phantastischen Wolkenbergen. In wenigen Augenblicken verschwand die Sonne.

Tiefes Grollen erklang von allen Seiten des Himmels. Dann beugte ein wilder Windstoß die Bäume im Park bis fast zur Erde, und der Regen stürzte hernieder.

Die Kinder rannten ins Haus und drückten die Nase an die regenüberspülten Fensterscheiben, um sich den Wolkenbruch anzusehen. Die so plötzlich kühl gewordene Luft roch nach nasser Erde.

Line hatte sich unter dem Vorwand, an die Eltern schreiben zu wollen, in ihr Zimmer geflüchtet. In Wirklichkeit hatte sie das Bedürfnis, allein zu sein und nachzudenken.

Oben auf dem Blatt, das vor ihr lag, stand nur:

»Meine lieben Eltern.«

Und nun schaute sie aus dem Fenster, in Gedanken versunken.

Doch plötzlich fing sie an, rasch zu schreiben. Sie erzählte die ganze Geschichte, ohne das geringste auszulassen.

Plötzlich schallte es durchs Haus: »Line! Line! Nanou hat geschrieben!«

Sie rannte hinunter.

»Meine liebe Annette«, schrieb Nanou. »Ihr wart kaum abgefahren, als mir der Name von Herrn Paul wieder einfiel. Er hieß Sauvage. Ich habe ihn nie anders als Herr Paul nennen hören.

Ich hoffe, Ihr seid alle bei guter Gesundheit, und ich grüße und küsse Euch herzlich. Witwe Anne Le Tréis.«

Die Jungen hatten sich schon auf das Lexikon gestürzt und blätterten wie wild darin.

Welche Enttäuschung! Sauvage war ein französischer Ingenieur, geboren in Boulogne-sur-Mer, Erfinder der Schiffsschraube für die Dampfschiffahrt.

»Er könnte ja auch Bilder gemalt haben«, meinte Gerhard.

»Aber er hieß Friedrich und nicht Paul«, erwiderte Ludwig und klappte das Buch mit einer wütenden Bewegung zu.

Line ging wieder hinauf ins Obergeschoß, um ihren Brief zu beenden, in dem sie ihren Eltern berichtete, was sich ereignet hatte. Leider waren ihre Hoffnungen, was den Wert dieses Bildes betraf, inzwischen geschwunden. Dieser Paul Sauvage konnte kein großer Maler gewesen sein, wenn sein Name nicht einmal im Lexikon stand. Loute würde die Überholwerft nicht mit dem Verkauf von Nanous Porträt retten können.

Line schrieb die Adresse, klebte den Umschlag zu und blieb nachdenklich eine Weile sitzen.

»Und trotzdem ... wenn Don Ameal und dieser Polizist, ob echt oder falsch, so versessen auf das Bild waren ...«

Ach, sie wußte gar nichts mehr und fand sich nicht mehr zurecht.


Das schlechte Wetter hielt drei Tage an. Kalter Wind, Nebel, Regen.

»Das ist weiter nichts, ein bißchen Pfützenwetter«, sagte Ludwig, »das geht bald vorüber.«

Alle Augenblicke zog sich eins von den Kindern den Regenmantel an und lief hinunter auf die Straße in der Hoffnung, die Zeltbewohner vorüberkommen zu sehen. Doch dieses Wetter verlockte niemand zu Spazierfahrten. Nur Wagen brausten durch die aufspritzenden Pfützen.

Da die Kinder so aufs Haus beschränkt waren, wurde ihnen die Zeit bald lang. Line schlug den Zwillingen vor, mal einen Blick in die Schulbücher zu werfen, die sie mitgebracht hatten.

Genoveva schlug den Atlas auf und fing an, über den Karten zu träumen.

Gerhard machte sich an eine Rechenaufgabe, in der sich Radfahrer einer Prüfung bei einer Fahrt bergauf unterzogen. Er führte die Aufgabe so rasch aus, daß die Angelegenheit in zehn Minuten erledigt war: der Sieger fuhr mit der phantastischen Geschwindigkeit von 107,983 Kilometern.

Das gab ein schönes Geschrei, als er das Ergebnis mitteilte. Peter und Ludwig sagten, er solle keinen faulen Witz machen. Doch als er behauptete, er habe richtig gerechnet und alle Proben gemacht, die sein Ergebnis bestätigten, stürzten sich die Älteren selbst über die Aufgabe.

Und genau das hatte Gerhard vorausgesehen. Während Peter und Ludwig den Wortlaut der Aufgabe noch einmal lasen, schob sich Gerhard zur Tür und machte Kikri einen Besuch.

Einige Augenblicke später hatte er seine Rechenaufgabe vergessen und kehrte, von dem Hahn begleitet, zurück, der sehr glücklich war, Gesellschaft zu finden. Und die Gesellschaft war recht glücklich, Kikri wiederzusehen, den sie fast vergessen hatten.

»Ihr habt uns Kikris Geschichte noch gar nicht erzählt«, sagte Line. »Wie ist er zu euch gekommen?«

»Er ist ein Sohn der Tauben«, erwiderte Anne.

»Der Tauben?«

»Ja, spaßig, nicht wahr? Stellt euch vor, eines Tages fand Ludwig im Park ein Huhn, das sich ein Bein oder sonst was gebrochen hatte. Jedenfalls konnte es nicht laufen. Er nahm es also auf, trug es zum Haus, und als es Abend wurde, sagte Mama, er solle es ins alte Hühnerhaus setzen, in dem unsere Tauben untergebracht sind. Am nächsten Tag brachten wir das Huhn seinem Eigentümer zurück, Herrn Lefur, einem Rentner, der sich mit Hühnerzucht beschäftigt.

Nun vergingen einige Wochen, und eines schönen Tages, als ich die Tauben mit Korn fütterte, sah ich ein hübsches kleines Küken, ganz gelb, das mitten im Hühnerhaus zwischen den Tauben piepste.

Und das war Kikri.«

»Ich verstehe«, entgegnete Gerhard, »das Huhn hatte den Tauben ein Ei ins Nest gelegt.«

»Ja, die Tauben haben es ausgebrütet.«

»Und haben sie nichts dazu gesagt, als ihr ihnen ihr Küken weggenommen habt?« fragte Genoveva.

»Was hätten sie denn sagen sollen?« rief Gerhard.

»Höchstens Herr Lefur hätte Grund gehabt, was zu sagen.« Alle lachten schallend darüber.

»Nein, Herr Lefur hat uns Kikri geschenkt . . .«

»Er gehörte ihm also genausogut wie euch?«

»Und er hat uns gesagt, es sei ein Orpington.«

»Was wäre er?«

»Ein Orpington. Das ist eine sehr wilde englische Rasse.«

»Wohl ein Kampfhahn, wie?«

»Sein Fleisch soll nicht besonders sein.«
»Hast du vielleicht vor, es zu essen?«
Alle schrien entsetzt auf.

Das schlechte Wetter, das Ludwig immer »Pfützenwetter« nannte, wurde keineswegs besser, sondern immer abscheulicher. Der Wind blies stürmisch, und die
Wellen, die gegen den Strand brandeten, erfüllten die
Luft mit anhaltendem Donnergrollen. Schaumfetzen
flogen über den Kamm der Dünen bis in die Parkbäume, wo sie wie seltsame Vogelnester hingen.
Sturmböen erschütterten das alte Haus. Die Türen
klapperten wie verrückt, und durch den langen Kor-
ridor im Obergeschoß pfiff heulend der Wind.
Die Kinder hörten sich das beunruhigt an.
»Ein Glück, daß Mama das Dach hat neu decken las-
sen!« murmelte Anne. »Diesmal wäre es bestimmt
davongeflogen.«
In der Nacht wurde es noch schlimmer, und als unsere
Freunde gerade ins Bett gehen wollten, ging das Licht
aus. Man hörte furchtsame Ausrufe.
Glücklicherweise lag in der Küche ein Vorrat von
Kerzen bereit.
Nun stieg man in einer Lichterprozession zu den
Schlafzimmern hinauf, und jeder schützte sein flackern-
des Flämmchen hinter der vorgehaltenen Hand.
Niemand war mehr zum Scherzen aufgelegt, und un-
sere Helden schliefen im Tosen des Sturmes ein.
Es war nach Mitternacht, als die Geschichte passierte:
Ein gewaltiges Dröhnen auf dem Boden riß alle jäh
aus dem Schlaf. In beiden Zimmern wurden Streich-
hölzer angerissen. Hinter den Kerzenflammen erschie-
nen struppige Köpfe mit entsetzten Augen. Die Ver-

bindungstür wurde geöffnet, und alle prallten in Morgenmänteln oder Schlafanzügen, die Leuchter in der Hand, aufeinander.

»Habt ihr das gehört? Was kann das sein?«

»Sie greifen uns vom Dach aus an«, rief Gerhard, plötzlich hellwach.

»Sei still!« brummte Peter ärgerlich und hielt doch für möglich, was der Kleine gesagt hatte.

»Wir wollen nachsehen«, sagte Line.

»Nein, nein, ich habe Angst«, keuchte Anne.

»Hör zu! Das ist ganz einfach. Du gehst hinunter ins Erdgeschoß und stellst dich neben das Telefon. Wenn irgendwas nicht stimmt, rufst du die Gendarmerie an. Weißt du die Nummer?«

»Ja, 72 34 42.«

»Gut, ich gehe mit den Jungen hinauf. Ich glaube zwar nicht, daß irgend etwas geschehen ist, aber falls doch . . .«

»Dann rufen wir ›Telefon‹, und du wählst die Nummer.«

»Ja«, erwiderte Anne. »Genoveva, du kommst mit!«

»Ich gehe hinauf«, erklärte Gerhard. »Hiermit fürchte ich mich vor keinem Menschen.«

Er schwang einen schweren Bronzeleuchter, den er vom Kamin genommen hatte.

Line zuckte die Achseln.

»Es wird gar nichts sein. Vielleicht eine Katze, die irgendwas umgeworfen hat.«

Peter und Ludwig gingen lautlos die steile Treppe hinauf und hoben ihre Kerzen über den Kopf.

Der Sturm hatte nachgelassen. Man hörte nur noch das Rauschen einer Regenrinne, das jedoch auch allmählich aufhörte.

Als sie oben angekommen waren, blickten sie sich nach allen Seiten um.

»Ich sehe nichts«, sagte Peter.

»Gar nichts«, bestätigte Ludwig.

Line trat neben sie. Man sah tatsächlich nichts anderes als ihre großen Schatten, die sich bewegten.

»Das Weiße dort unten neben der Mauer?«

»Ja richtig, auf dem Fußboden.«

Sie schauten aufmerksam hin.

»Das ist ein großer Stein«, sagte Gerhard, der sich mittlerweile zwischen die Älteren gedrängt hatte.

Alle vier gingen nebeneinander auf die Wand zu.

Es war tatsächlich ein großer Stein, noch ganz von Mörtel eingehüllt.

»Hier ist er herausgefallen«, sagte Peter und zeigte auf die Stelle oben in der Mauer, unmittelbar unter dem Balkenwerk. »Seht nur das Loch!«

»Oh«, rief Ludwig, »und da der Riß! Dieses ganze Stück Mauer wird einstürzen.«

»Ja, an dieser Seite hat der Firstbalken gar keine Stütze mehr. Wir müssen etwas dagegen tun.«

Peter schaute sich suchend um. Er bemerkte einige Bretter und Balkenstücke, die die Arbeiter in eine Ecke gestellt hatten, als das Dach repariert worden war.

»Damit läßt sich die Sache ausbessern.«

Alle machten sich an die Arbeit. Ein Brett auf den Fußboden, ein Pfosten daraufgestellt und als Stütze unter den Firstbalken geklemmt.

»So, nun besteht einstweilen keine Gefahr mehr. Da kann der Wind blasen. Der First ist gut abgesteift.«

Aus dem Erdgeschoß kam ein ängstlicher Ruf.

»Es ist nichts«, schrie Line hinunter. »Ihr könnt her-aufkommen.«

Nun mußte man Anne alles erklären, die voller Angst war und alles genau wissen wollte. War der Stein wirklich so groß? Und dieser Riß, würde der sich nicht vergrößern? Und konnte der Firstbalken nicht herabstürzen?

Sie war völlig außer Fassung.

»Wenn man sich vorstellt, wieviel Geld Mama gerade erst für die Instandsetzung des Daches bezahlt hat. Man müßte das ganze Balkenwerk und die Mauern auch reparieren lassen. Alles . . .«

Am Ende ihrer Kraft, brach sie in Weinen aus, das Gesicht in die Hände gelegt.

Die andern waren bedrückt und wußten nicht, was sie sagen sollten.

Da trat Gerhard zu ihr.

»Weine nicht«, sagte er, »von dem Geld für das Bild wird die Überholwerft wieder neu gemacht.«

Schließlich, am vierten Tag, ging die Sonne an einem weiten blauen Himmel auf.

»Ob wir heute Nanou besuchen?« sagte Anne. »Diesmal alle. Sie soll uns von diesem Paul Sauvage erzählen. Vielleicht kann sie uns neue Einzelheiten mitteilen.«

»Unterwegs werden wir die Besorgungen machen und ein Picknick in den Dünen veranstalten.«

»Gehen wir zu Fuß?«

»Natürlich, es ist ja nicht weit.«

Rasch hatte man sich angezogen und das Frühstück verzehrt.

»Und das Bild«, fragte Line, als sie aufbrechen wollten, »nehmen wir das mit?«

»Es wäre sicherer«, erwiderte Anne.

»Ihr seid ja verrückt!« rief Ludwig. »Wir lassen es in seinem Versteck. Das ist so gut, daß es kein Mensch finden kann.«

»Sperren wir Kikri im Haus ein!« sagte Peter.

»In der Küche«, riet Line, »da macht er am wenigsten Schmutz.«

Der Ausflug führte über das Feld der Menhire. Peter wollte dort fotografieren. Die Mädchen stellten sich an einen besonders großen Stein, auf dem Gerhard saß.

Am Strand von Carnac schlenderten oder lagen die Sommergäste in der Sonne. Das Meer, von einem tiefen Grün, kräuselte sich zum Horizont. Ein Motorboot zog einen Wasserskifahrer im Kielwasser hinter sich her.

Die Strandpromenade war mit Wagen und Spaziergängern angefüllt.

Plötzlich stieß Anne einen Schrei aus und faßte nach Lines Arm.

»Da sind sie! Die beiden aus dem Zelt.«

Die beiden jungen Männer kamen ihnen entgegen, ihre Mopeds, mit Säcken beladen, vor sich herschiebend.

Die Kindergruppe blieb dicht zusammengedrängt in dem Menschengewühl stehen.

»He, Sie!« rief Gerhard.

Die beiden Burschen wandten den Kopf.

»Sie erkennen uns nicht«, sagte Anne leise.

Line ging ihnen resolut entgegen.

»Entschuldigen Sie bitte«, sagte sie. »Wir haben Ihnen etwas zu sagen.«

Sofort versammelte sich die Gruppe um die beiden. Doch ein gebieterischer Hupton forderte sie auf, die Fahrbahn freizumachen.

»Hier herüber!« sagte der eine der jungen Leute und schob sein Moped an die niedrige Gartenmauer einer Villa.

»Wollen Sie nach Ker Mario?«

»Ja. Aber . . . Woher wissen Sie das?«

»Fahren Sie nicht dorthin! Ein Mann sucht Sie.«

»Es ist ein Gangster«, flüsterte Gerhard.

»Halt den Mund!« knurrte Peter.

»Ein Gangster?« Die Burschen lachten laut auf. »Was ist denn das für eine Geschichte?«

»Wir müssen es Ihnen erklären«, sagte Line.

Recht und schlecht gab sie mit Wiederholungen und neuen Anfängen, zehnmal von den andern unterbrochen, einen reichlich verschwommenen Bericht von ihren Abenteuern.

Die jungen Männer waren zunächst belustigt und skeptisch, nahmen die Sache jedoch bald ernst, und schließlich waren sie es, die hundert Fragen zu stellen hatten.

»Aus welcher Zeit stammt das Bild?«

»Etwa 1890.«

»Neunzig, das wäre also Manet, van Gogh, Cézanne, nicht wahr?«

»Cézanne ist niemals hier gewesen. Van Gogh auch nicht.«

»Dann gab es die Schule von Pont-Aven. Das sind Gauguin, Sérusier, und ich weiß nicht mehr, wer noch. Ich bin auf diesem Gebiet nicht allzu beschlagen, wissen Sie.«

»Jedenfalls habe ich noch nie etwas von Sauvage gehört.«

»Vielleicht war das ein Freund der andern. Ein Bursche, der mittlerweile vergessen ist.«

»Und trotzdem wollte der Gangster unbedingt das Bild haben?«

»Ja, das ist ja das Merkwürdige.«

»Wissen Sie, wenn er uns sucht, ist es doch am einfachsten, wir lassen uns von ihm finden. Dann erfahren wir am leichtesten, was er auf dem Herzen hat. Und dann sind wir es, die ihm Fragen stellen können.«

»Nein«, rief plötzlich der andere junge Mann, »wir brauchen ja nur zu Le Coz zu gehen.«

Das ist ein Freund von uns«, erklärte er den Kindern. »Ihm gehört die Buchhandlung ›Seewind‹ neben dem Kurhaus. Er hat sehr schöne Werke über Kunst und versteht sehr viel von moderner Malerei. Der wird uns Bescheid sagen können.«

»Also los!« erwiderte der andere. »Dann wollen wir keine Zeit verlieren. Sie, mein Fräulein, sind die Größte und begleiten Jakob zu Le Coz. Wir können uns nicht alle in seinen Laden drängen. Wir erwarten Sie hier. Beeilen Sie sich aber!«

Zwei Minuten später traten Line und Jakob in die Buchhandlung.

Ein junger Mann legte zwei Engländern gerade Reiseführer vor. Die beiden Ausländer wollten das Feld der Menhire genau besichtigen.

Beim Eintritt der beiden jungen Leute hob der Buchhändler den Kopf und begrüßte den Studenten mit einer freundschaftlichen Geste.

»Eine Minute, ich stehe dir gleich zur Verfügung . . . Und Sie, mein Fräulein?«

»Ich bin mit dem Herrn gekommen«, erwiderte Line.

»Deine Schwester?«

»Fast«, entgegnete Jakob.

Der Student führte Line zu den Regalen mit den schönen Kunstbüchern. Sie blätterten aufs Geratewohl ein wenig. So viele Bücher standen hier!

Als der Buchhändler seine Kunden bedient hatte, kam er zu den beiden.

»Du, der alles weiß, mußt uns belehren«, begann Jakob. »Wir suchen Aufklärung über einen gewissen Sauvage, einen Maler, der in der Zeit von Gauguin hier in der Gegend gearbeitet haben soll, etwa um die Jahre . . . «

»1888 oder 89«, sagte Line.

»89 . . . 89? Sauvage sagen Sie? Er hat Sauvage gezeichnet?«

»Das weiß ich nicht«, erwiderte Line, »wir haben keine Signatur gefunden, aber jemand hat uns gesagt, daß er sich Sauvage genannt habe, Paul Sauvage.«

»Sauvage . . . Sauvage . . . Aber das ist Gauguin selbst, Paul Gauguin, den man den Wilden nannte, le Sauvage, der Wilde, weil er aus der Welt floh. Wir besitzen einen Brief von ihm, in dem er sagte: ›Ich lebe hier unter dem Namen der Wilde, le Sauvage.‹
Warten Sie, den muß ich finden, hier drin oder da.«

Er nahm ein Buch von einem Regal und reichte es Line. Dann griff er nach einem noch umfangreicheren, das er selber durchblätterte.

Lines Herz hämmerte mit lauten Schlägen. Das Geheimnis begann sich aufzuklären, das spürte sie genau. Unter ihren Fingern zitterten die Blätter, ihr Blick heftete sich auf die Farbreproduktionen, mit denen das Werk illustriert war.

Plötzlich stieß sie einen Ruf aus.

»Das ist sie! Das ist Nanou!«

Ein Bild, größer als die andern, das Golgotha darstellte, einen gekreuzigten Christus vor einem Hintergrund von gelben Wiesen mit roten Apfelbäumen.

Links im Vordergrund eine kleine, kniende Bretonin.

Das war Nanou. Nanou mit ihren roten Wangen, der weißen Haube. Die Nanou von dem Porträt.

Die beiden jungen Männer kamen näher.

»Das ist der ›gelbe Christus‹«, sagte der Buchhändler.

»Haben Sie etwas gefunden?«

Line zeigte auf die Gestalt.

»Es ist dieses kleine Mädchen.«

»Welches kleine Mädchen?« fragte der Buchhändler.

»Ich will es dir erklären«, sagte Jakob. Und dann erzählte er die Geschichte.

Doch kaum hatte er begonnen, als auch schon Kunden hereinkamen. Der Buchhändler mußte sie bedienen.

»Wartet, ich bin gleich wieder da, das ist ja eine spannende Sache!«

Als Gerhard hereinstürzte, fuhren alle zusammen.

»Kommen Sie schnell! Er ist da!«

Er zog Line und Jakob eilig mit sich hinaus.

»Rasch! Rasch! Der Kerl ist auf der Strandpromenade vorübergekommen und hat uns mit Ihrem Kameraden gesehen. Er weiß jetzt, daß wir ihm einen Bären aufgebunden haben. Er wird in der Überholwerft einbrechen und uns das Bild stehlen.«

»Ihr Bild ist dort unten?«

»Ja!«

»Dann müssen wir laufen.«

Die Gruppe befand sich in höchster Erregung. Peter und Ludwig trampelten mit den Füßen.

Im Handumdrehen waren die Mopeds von ihrem Gepäck befreit.

»Die beiden Großen fahren mit uns. Die Mädchen kommen, wie es ihnen eben gelingt, mit dem Gepäck nach.«

Schon saßen die beiden Burschen auf den Rädern. Peter und Ludwig sprangen auf die Soziussitze, und die Maschinen brausten knatternd davon.

Der graue Mercedes stand am Rand der Straße, nicht weit von der Allee zur Überholwerft.

Die vier Jungen sprangen ab, schoben die Mopeds an die Seite und liefen unter Ludwigs Führung im Schutz der Bäume zum Haus hinauf. Hinter den letzten Büschen blieben sie stehen, ganz nahe beim Haus.

»Gibt es eine Hintertür?« fragte einer der Burschen.

»Ja.«

»Dann stellt sich einer von euch an die Hintertür und der andere hierher. Ihr werdet den Kerl so lange aufhalten, wie es euch möglich ist. Und wir werden uns den guten Mann im Haus mal vorknöpfen.«

Sie gingen hinter den Büschen bis an die Stelle, wo diese fast ans Haus reichten. Von dort schlich sich Ludwig dicht an der Mauer entlang zur Tür des Seitengebäudes, während Peter und die beiden Studenten zur Haustür liefen.

Es dauerte nicht lange. Der Aufruhr begann zehn Sekunden später: ein Lärm wie von einem wütenden Kampf, erstickte Aufschreie, eine Tür, die heftig zuschlug.

Mit klopfendem Herzen klammerten sich Peter und Ludwig an der Klinke ihrer Tür fest, bereit, sie mit allen Kräften zuzuhalten.

Sie hörten nicht, wie sich die Läden eines Fensters im Obergeschoß öffneten – es war das Zimmer nach Norden. Sie sahen die Gestalt nicht, die sich an der Mauer

herabgleiten ließ, mit einem Sprung den Boden erreichte und unter den Bäumen hinweg flüchtete.

»Macht rasch auf!« rief eine Stimme von innen. »Er ist entkommen!«

Der eine Bursche kam wütend heraus.

»Schuld daran ist euer verflixter Hahn!«

»Hier ist er heruntergesprungen!« rief der andere, aus dem Fenster hängend.

Auch er ließ sich herabgleiten und sprang zur Erde.

»Zum Wagen, schnell!«

Alle vier rasten durch den Park.

Währenddessen waren die Mädchen und Gerhard am äußersten Ende des Strandes von Carnac eilig durch das Menschengewühl gelaufen. Die Säcke waren sperrig und entsetzlich schwer.

»Wir brauchen länger als eine Stunde!« rief Gerhard wütend. Er zitterte vor Kampflust und rempelte die Spaziergänger an, die ihm in den Weg kamen.

»Wir sind dumm«, rief Line plötzlich. »Wir können doch einfach eine Taxe nehmen.«

Gerade in dem Augenblick fuhr ein Lieferwagen an ihnen vorüber. Es war die Bäckersfrau, die von ihrer Rundfahrt zurückkam. Sie erkannte Anne.

»Wohin wollt ihr denn?«

»Nach Haus.«

»Dann steigt hinten ein. Ich setze euch unten an der Allee ab.«

Im Nu war das Gepäck aufgeladen und der Wagen wieder unterwegs.

Wenige Minuten später hielt die Frau zwei Schritte vor dem grauen Mercedes.

Das Gepäck flog auf die Erde, die Kinder sprangen hinterher, und der Lieferwagen fuhr weiter.

Schon stand Gerhard neben dem schweren grauen Wagen. Er sah die beiden Mopeds daneben.

»Wir kommen noch nicht zu spät!« rief er voller Hoffnung. »Kommt!«

Doch sofort besann er sich. Er griff in die Tasche und zog sein Messer mit den sechs Klingen heraus. Dann hockte er sich neben das rechte Vorderrad, schraubte die Ventilkappe ab und drückte das Ventil mit dem Pfriem seines Messers herunter.

Der Pneu wurde langsam schlaff.

Und dann überstürzte sich alles.

Gerhard war kaum aufgestanden, als ein Motorrad auf der Straße auftauchte. Es war ein Beamter der Straßenpolizei.

Als er die Gruppe um den Wagen bemerkte, hielt er sein Motorrad an, wandte sich an Line und fragte: »Haben Sie eine Panne, mein Fräulein?«

In diesem Augenblick erschien auch der zweite Motorradfahrer der Streife und schob seine Maschine auf den Kippständer.

»Ist der Reifen geplatzt? Haben Sie keinen Ersatzreifen?«

»Das ist gar nicht mein Wagen«, erwiderte Line. »Er gehört einem Herrn ... einem Polizeibeamten.«

Es blieb ihr keine Zeit, Erklärungen abzugeben.

Aus der Fliederhecke, die den Park umgab, sprang ein Mann auf die Straße.

Als er die Gruppe wahrnahm, zögerte er einen Augenblick, dann ging er ruhig auf seinen Wagen zu.

»Verhaften Sie ihn! Er ist ein Einbrecher!« schrie Gerhard plötzlich.

Der Mann fuhr zusammen, und da erkannte er die Kinder.

»Was?« sagte er.

»Das ist der Herr«, erklärte Line. »Er hat uns erklärt, er sei Polizeibeamter.«

»Das war ein kleiner Scherz«, erwiderte der Mann lächelnd und zog eine Brieftasche aus der Jacke.

»Ich bin Inspektor einer Versicherungsgesellschaft.«

»Er hat ein Bild bei uns stehlen wollen!« rief Gerhard wieder.

»Was ist das für eine idiotische Behauptung?« sagte der Mann. »Ich habe keine Zeit.«

Er steckte die Brieftasche wieder ein, öffnete die Wagentür und setzte sich ans Lenkrad.

»Sie haben Reifenpanne«, erklärte der eine Polizist ruhig. »Einen Augenblick, bitte! Was haben Sie da für Wunden im Gesicht?«

Man sah tatsächlich lange, blutende Kratzspuren auf seiner Backe und dem Hals.

»Das war Kikri!« rief Gerhard. »Sie sehen, daß er gekratzt worden ist.«

Es rauschte heftig in den Büschen. Die beiden Studenten kamen aus der Hecke gesprungen, Peter und Ludwig hinter ihnen her.

Der Mann benutzte die Ablenkung, startete den Motor und raste davon.

Sofort sprangen die beiden Motorradfahrer auf ihre Maschinen.

Der Wagen war schon weit, doch er taumelte gefährlich von einer Straßenseite zur andern.

Die Verfolgung dauerte nicht lange.

Die Jungen rannten bis zur ersten Biegung hinterher.

Doch die Straße verschwand in den Dünen, und man sah nichts mehr.

# Dreizehntes Kapitel

Line und Anne erreichten das Haus als erste.

Line rannte in die Küche. Kikri, der auf dem Tisch hockte, stieß einen wütenden Schrei aus.

Mit gesträubter Halskrause, den Kamm angriffslustig erhoben, sprang der Hahn zur Tür.

»Kikri, aber Kikri!«

Anne faßte ihn und drückte ihn fest an die Brust.

Nun erschienen auch die beiden Burschen.

»Dieses Vieh ist entsetzlich!« rief der eine Student.

»Es hat sich wie ein Teufel auf mich gestürzt.«

In der Küche flogen Federn herum, Stühle waren umgeworfen, Porzellanscherben bedeckten den Boden.

Hier hatte es einen Kampf gegeben. Der Mann war vor dem Studenten in die Küche eingedrungen und hatte die Kratzer erhalten, die sein Gesicht zeichneten.

Tapferer Kikri! Er hatte die Festung heldenhaft verteidigt.

»Und wo ist es nun, das berühmte Bild?«

»Hier«, erwiderte Line.

Sie war auf einen Schemel gestiegen und griff nach der alten geflochtenen Einkaufstasche, die an einem Dekkenbalken hing. Trockene Blätter von Lorbeer und Thymian standen über dem ausgefransten Rand.

Alle drängten sich um die Tasche.

Unten drin eine alte vergilbte Zeitung. Und unter der Zeitung das Porträt von Nanou in seinem vergoldeten Rahmen.

Das gab einen Aufruhr!

»War das dein Versteck?«

Das Lachen wollte kein Ende nehmen.

»Das Versteck war wirklich gut!«

»Und Kikri hat es ausgezeichnet verteidigt.«

Das Summen eines Wagens ließ alle herumfahren.

»Das ist Loute!« rief Gerhard, der zur Tür gerannt war.

»Mama! Mama!«

Anne warf sich schluchzend ihrer Mutter in die Arme.

»Mein Liebling, mein Liebling«, sagte Loute. »Was ist denn bloß passiert? Ich habe eben ein Telegramm von euerm Vater bekommen, Line. Ich begreife kein Wort. Er schreibt, sie kämen im Flugzeug, und man müsse das Bild in den Safe einer Bank einschließen. Welches Bild denn nur?«

»Dies hier«, erwiderte Line.

»Man hat es uns stehlen wollen.«

»Die Motorradpolizei macht gerade Jagd auf die Gangster«, rief Gerhard.

Loute ließ sich auf einen Stuhl fallen.

»Und was ist denn das nun wieder für eine Räubergeschichte? Seid ihr alle verrückt geworden, oder was ist los? Und wer sind diese Herren?«

Die jungen Männer verbeugten sich.

»Jakob Hébrard, Student der Medizin.«

»Robert Danault, Assistenzarzt.«

»Und Amateurdetektive!«

»Wir haben sie für Diebe gehalten«, sagte Anne.

Loute stand auf.

»Nun hört mal zu«, sagte sie. »Jemand muß mir die Geschichte von Anfang bis zu Ende erzählen, sonst werde ich verrückt. Line, fang an!«

Line begann ihren Bericht mit dem ersten Besuch von Don Ameal, wurde jedoch dauernd von dem einen oder andern unterbrochen, der noch eine Einzelheit hinzufügte.

Als Line mitten in ihrem Bericht war, klingelte das Telefon. Loute lief zum Apparat.

»Hallo, ja, hier ist die Überholwerft. Wie? Die Eigentümerin? Ja, ich bin die Eigentümerin. Ja, auch die Eigentümerin des Bildes . . . ach? Ist er verhaftet?«

»Prima!« rief Gerhard.

»Still doch mal!«

Alle hingen an Loutes Lippen.

»Wie? Er sagt, er hätte nichts gestohlen? Nein, es ist nichts gestohlen . . . Ameal Gonzalez? Ja, ich kenne ihn gut . . . Wer ist das? Wie? Was? Ein Gauguin? Welcher Gauguin? Meiner? Aber wir haben doch gar keinen Gauguin, Herr Kommissar. Sie werden doch zugeben, daß ich es wissen müßte, wenn ich einen Gauguin besäße! Wie? Er behauptet das? Herr Gonzalez? Ach, jetzt begreife ich. Dieser Herr wollte sich einen Gauguin ansehen, den Herr Gonzalez bei uns entdeckt hat . . . Es war also Neugier, die ihn zu uns geführt hat . . .«

»Neugier! Das kann er uns erzählen!« schrie Gerhard.

»Klauen wollte er das Bild, nichts anderes!«

»Still doch!«

»Aber natürlich . . . eine Expertise, ein Gutachten, gewiß . . . Ja, vielen Dank, Herr Kommissar.«

Loute hängte den Hörer an.

»Ein Gauguin!« sagte sie mit ausdrucksloser Stimme.

Sie warf einen Blick auf das Bild.

»Dieses kleine Dienstmädchen soll von Gauguin gemalt sein?«

Nanou!« rief Anne.

, das weiß ich ... aber von Gauguin?«

Line berichtete von ihrem Besuch bei Nanou.

»Ein Gauguin!« rief Loute noch einmal.

»Es scheint wirklich so. Wir haben eine Reproduktion bei dem Buchhändler Le Coz gesehen.«

»Wenn wir ihn anriefen?« warf einer der Studenten ein. »Er würde sich bestimmt sehr freuen.«

»Das Telefon ist draußen auf dem Flur.«

Zehn Minuten später war der Buchhändler schon da. Er hatte vier Werke über Gauguin und die Maler seiner Zeit mitgebracht.

Der Anblick des Bildes nahm ihm die Fassung.

»Wenn das keine Kopie ist, haben Sie da ein Vermögen«, rief er.

»Es ist keine Kopie«, erwiderte Line, »weil es Gauguin selber gemalt hat. Nanou kann den Namen Sauvage nicht erfunden haben.«

»Ja, das ist wahr. Übrigens, sehen Sie doch, schauen Sie es sich gut an! Vergleichen Sie es mit der Gestalt hier auf dem *gelben Christus*. Es ist nicht völlig die gleiche Stellung. Ihr Bild ist zweifellos eine Studie, die Gauguin gemalt hat, ehe er das berühmte Bild komponierte. Sie haben da eine Kostbarkeit. Kein Wunder, daß man versucht hat, es Ihnen zu stehlen.«

»Ich begreife es immer noch nicht, wissen Sie«, erwiderte Loute. »Ich bin fassungslos. Und Don Ameal hätte demnach das Bild entdeckt?«

»Natürlich!« sagte Line. »Deshalb wollte er es ja kaufen. Und da du dich geweigert hast, es ihm zu verkaufen, hat er versucht, es zu stehlen.«

»Don Ameal ist aber kein richtiger Einbrecher«, erklärte Gerhard. »Er hat Angst vor Kikri gehabt.«

»Kikri ist auch schrecklich! Und dann war es Nacht, und er war nicht darauf gefaßt, auf diese Weise angefallen zu werden.«

»Aber das ist ja ein ganzer Abenteuerroman!« rief der Buchhändler. »Morgen werden die Zeitungen voll sein von Ihrer Geschichte. Ich kann Ihnen versichern, die Entdeckung eines Gauguin wird Aufsehen erregen. Machen Sie sich auf Besuche gefaßt!«

»Ja, vielleicht auch Polizisten, aber vor allem Journalisten, Kunsthändler, Galeriedirektoren, Leiter der Museen ...«

»Die Heldin ist Line«, verkündete Anne.

»Nein, der Held ist Kikri«, entgegnete Line.

»Wo ist er übrigens geblieben? Kikri! Kikri!«

Man fand ihn im Geschirrschrank hocken, an der gleichen Stelle, an der er in der Einbruchsnacht gesessen hatte.

Beim Eintritt unserer Freunde rührte er sich nicht einmal und begnügte sich mit einem strengen Blick.

»Er ist beleidigt!« rief Anne. »Wir haben ihn nicht genug gefeiert.«

Doch Kikri war nicht beleidigt. Er hatte es satt. All diese unbekannten Leute, die dauernd kamen und gingen, Tag und Nacht, unaufhörlich, das reichte ihm nun. Er konnte schließlich nicht gegen eine ganze Welt ankämpfen!

Der Aufruhr um den Gauguin in der Überholwerft legte sich allmählich. Das »Porträt von Nanou« – unter diesem Titel ist das Bild mittlerweile bekanntgeworden – ist an einem bevorzugten Platz in einer großen Pariser Galerie ausgestellt.

Drei Wochen sind seit dem Anfang der Ferien verstrichen. Nach drei Ruhetagen, während denen Jakob

ihren neuen Freunden gefeiert und
orden waren, hatten sich die beiden jungen Mediziner wieder auf die Mopeds geschwungen, um einen Streifzug durch die ganze Bretagne zu machen.

Papa und Mama waren nach einem kurzen Aufenthalt in Carnac wieder in Paris. Wie eilig sie in Madrid aufgebrochen waren! Lines Brief hatte Mama in das tiefste Entsetzen gestürzt. »Unsere Kinder im Handgemenge mit Gangstern!«

Doch welche Freude wurde das Wiedersehen dann!

Natürlich hatte Loute ihre Arbeit in der Klinik aufgegeben, und eines Tages machte die ganze Familie Nanou einen Besuch.

»Wir nehmen sie zu uns, weil wir jetzt reich sind«, sagte Anne.

Doch Nanou weigerte sich, ihr Haus auf der Heide zu verlassen.

»Hier ist die Luft viel besser als in Carnac«, sagte sie, »und dann sehe ich das Meer. Wenn mir eins leid tut, dann nur, daß ich ein bißchen zu weit weg davon wohne.«

Ein bißchen zu weit weg davon! Das Haus lag zwanzig Schritte von der Steilküste, und an Sturmtagen klatschte die Gischt an die Fenster.

Die Handwerker hatten von der Überholwerft Besitz genommen. Sie klopften die Mauern ab, um sich von ihrer Festigkeit zu überzeugen. Die Balken wurden untersucht, die Türrahmen verstärkt, die Fensterläden erneuert.

Das alte, nun verjüngte Haus wird jedem Herbststurm siegreich Trotz bieten.

Loutes Sorgen sind verflogen.

Deshalb nimmt sie sich jetzt der Instandsetzung des Hauses an. Natürlich helfen ihr die Mädchen dabei.

»Ihr habt euch wunderbar benommen, wißt ihr«, sagt sie manchmal und betrachtet sie nachdenklich. »Ich wäre in euerm Alter nicht in der Lage gewesen, das zu schaffen, was ihr getan habt.«

Eines Abends, als die ganze Familie im Park versammelt war und auf die Stunde des Abendessens wartete, brachte der Postbote einen Brief.

»Sollte man's glauben!« rief Loute. »Don Ameal!«

»Das ist doch nicht möglich!«

»Welche Unverschämtheit!«

»Will er wiederkommen?«

Loute überflog den Brief.

»Das ist ja toll!« murmelte sie. »Don Ameal bittet uns um Verzeihung.«

»Wo ist er denn?«

»In Santa Tecla del Mar, Provinz Vigo.«

»Das ist ja in Spanien.«

*Ich habe mich in mein Heimatdorf zurückgezogen, das ich mit zwölf Jahren verlassen habe, um mein Glück zu machen. Ich habe die Welt durchstreift, bin jetzt aber kaum reicher als bei meinem Weggehen. Ihr Bild war meine letzte Hoffnung. Ich möchte, daß Sie die böse Versuchung verstehen, die mich alten Mann überfiel . . . und daß Sie mir verzeihen . . .*

»Na, hört euch das an!«

»Still!«

*Jedenfalls danke ich Ihnen von Herzen, daß Sie Ihre Anzeige zurückgezogen haben. Dadurch war ich in der Lage, in das Land meiner Kindheit zurückzukehren, wo ich jetzt mit meinem Hund Sidi lebe.*

»Der arme Sidi! Wir wollen ihm verzeihen, weil er Sidi liebt.«

»Hat er denn Kikri verziehen?«

Als der Hahn, der gerade seine hundert Schritte über den Hof tat, seinen Namen hörte, blieb er stehen, hob den Kopf und sträubte die Halskrause. Das lebhafte Auge richtete sich auf die versammelte Familie, als ob er die Menschen, die er zu bewachen hatte, einzeln zählen wollte.

»Sind alle da? Ja, alle! Ausgezeichnet.«

Dann begab er sich wieder auf seinen Wachposten.

# Spannende Detektivgeschichten in den Ravensburger Taschenbüchern

---

### Das Schloß des Erfinders
Von Norman Dale. Seltsame Dinge gehen in Dinas Moel vor ...                    Band 9

### Die Abenteuer der »schwarzen hand«
Von Hans Jürgen Press. Rätselhafte Detektivgeschichten mit vielen Bildern zum Mitraten.                    Band 60

### Wer war der Täter?
Von Alfred Hitchcock. Vier aufregende Kriminalfälle für findige junge Detektive.                    Band 180

### Sherlock Holmes und Dr. Watson
Von Arthur Conan Doyle. Der berühmteste Detektiv der Welt löst auch die schwierigsten Kriminalfälle.                    Band 239

### Die schwarze Katze ist Zeuge
Von Paul Berna. Endlich haben die Thirets eine schöne Wohnung gefunden. Doch der Vermieter war ein Betrüger ...
Band 282

### Die berühmtesten Detektive der Welt
Hrsg. von Hanna Bautze. Sechs Meisterdetektive zeigen in spannenden Fällen ihre Fähigkeiten und Methoden. Band 300

### Septimus und das Geheimnis von Danedyke
Von Stephen Chance. Was suchen die Einbrecher in der ehemaligen Reliquienkapelle?                    Band 312